拍脑袋

倪巧兰 编著

趣味数学

小学 **4** 年级

南京大学出版社

图书在版编目(CIP)数据

趣味数学.四年级/倪巧兰编著.—南京:南京大学出版社,
2005.5.
ISBN 7-305-03660-9

Ⅰ.趣... Ⅱ.倪... Ⅲ.数学课—小学—教学参考
资料 Ⅳ.G624.503

中国版本图书馆 CIP 数据核字(2001)第 030505 号

书　　名	拍脑袋——小学四年级趣味数学	
编 著 者	倪巧兰	
出版发行	南京大学出版社	
社　　址	南京市汉口路 22 号　邮编 210093	
电　　话	025-83596923　025-83592317　传真 025-83328362	
网　　址	http://www.njupress.com	
电子函件	nupress1@public1.ptt.js.cn	
经　　销	全国新华书店	
照　　排	南京理工出版信息技术有限公司	
印　　刷	扬州鑫华印刷有限公司	
开　　本	850×1168　1/32　印张 5.875　字数 147 千	
版　　次	2005 年 5 月第 1 版第 1 次印刷	

ISBN 7-305-03660-9/O・264
总 定 价　39.00 元(六册)

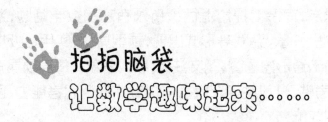

拍拍脑袋
让数学趣味起来……

亲爱的少年朋友们：

　　培养学生的创新意识和实践能力，是当今素质教育的重点，小学数学正是培养我们创新意识和实践能力最合适的学科之一。兴趣是最好的老师，一旦你对数学产生了浓厚的兴趣，有了学好数学的自信心，你就有了克服困难的勇气和毅力，就能逐步攀登科学的高峰。你们是祖国的未来，是祖国的希望，在这百花盛开的春天，我们编写了这套《拍脑袋——趣味数学》丛书作为礼物送给你，目的就是为了激发你学好数学的兴趣，拓宽视野，增长知识，发展智力，相信你一定会喜欢它。

　　《拍脑袋——趣味数学》丛书是一个轻松愉快的童话世界，是数学王国的百花园。每一个小主人公遇到的问题，也是你日常生活中会遇到的问题。你在读这本书的时候，也来拍拍脑袋，动动脑筋，在帮助小主人公解决问题的同时，你就能变得越来越聪明。

　　我们特邀特级教师、数学教育的知名教师编写的这套丛书共六本，按年级编写。每本书紧扣你们所学的教材，按照知识的深浅，有序地提出上百个新颖有趣的数学问题，通过故事、童话、儿歌、游戏等形式出现，题型具体、实用、生动，每道题都有卡通形象插图，图文并茂，版式活泼。每道题具有趣味性、思考性、开放性、实践性，可以锻炼你们思考能力、创新能力和实践能力。

手捧这本书的小读者们，你们都是爱动脑筋的好孩子，希望你们不要停留在生动有趣的故事情节中，对这些有趣的问题，都要动脑筋想一想、画一画、做一做，碰到困难时不要忙着翻书后面的答案，自己动脑筋做出来再去核对，就会乐趣无穷，如果能发挥你的想象力、创造力，提出不同的解法寻求出不同的答案，发挥自如，你的才华会得到充分展示。

我们衷心希望你真的喜爱这本书，随着年级的升高，一本接一本读下去，你就能在数学跑道上跑得更远。

小读者们，你认为这套书有什么错误，或者你有什么好的建议，望及时来信告诉我们，我们会把这本书修改得更好，使你喜欢。

目 录

·上 学 期·

1. "猴哥哥"出题

　　佳佳和乐乐去动物园玩,看见一群小动物围成一圈,有的抓头搔腮,有的低头沉思,它们在做什么呢?

　　这时,站在圈外的猴哥哥看见他们来了,兴奋地喊道:"小朋友,你们好! 我们正在做数学游戏,我出的题目,现在大家还没有做出来。正好请你们帮忙呢!"

　　小动物的面前或手上都有一个题目。佳佳和乐乐思索一下,都做出来了。

　　给小白兔的题目是:比最大的五位数多1的数是____。

　　给小鹿的题目是:比最小的七位数少1的数是____。

　　给小熊猫的题目是:最大的四位数加上最小的五位数是____。

　　给小松鼠的题目是:最小的四位数减去最大的两位数是____。

　　给小杜鹃的题目是:由0、1、7、4、8组成的最大五位数是____。最小五位数是____。

　　给小棕熊的题目是:用5、5、5、0、0组成读出两个零的五位数是____。

　　小朋友,猴哥哥出的题目,你会做吗?

2. 排名次

学校春季运动会上 1 号、2 号、3 号、4 号运动员取得了运动会 800 米赛跑的前四名。小记者毛毛头来采访他们各自的名次。1 号说："3 号在我前面冲向终点。"另一个得第 3 名的运动员说："1 号不是第 4 名。"裁判员丁丁说："他们的号码与他们的名次都不相同。"

小朋友,你能猜出他们的名次吗?

拍脑袋指点:从得第 3 名的运动员说:"1 号不是第四"这句话分析,可知 1 号得第一或第二名。

从 1 号说:"3 号在我前面冲向终点。"可知得第一名的是 3 号,得第二名的是 1 号。

现在只有 4 号运动员和 2 号运动员。从裁判员丁丁说的:"他们的号码和他们的名次都不相同。"这句话分析,可知 4 号运动员只能是第 3 名。剩下的 2 号运动员一定是第 4 名。

小朋友,你想出来吗?

3. 电话号码

董尧尧问李明家电话号码,李明拿起笔在纸上写了一道题:

我家的电话号码是由六个自然数的数字组成,其中前三位数的数字相同,后三位数是由连续自然数组成。这个电话号码各个数字的和正好是后面的两位数。

"推出的结果就是我们家的电话号码。"李明笑着说。

董尧尧很快就推出来了。

小朋友,你也试试看。

🌀 **拍脑袋指点**:或许你会认为这个电话号码是333012,其实错了,因为"0"不是自然数。

由于大家的脑子里形成固定不变的想法。总认为:连续自然数一定由小到大排列如7、8、9这是连续三个自然数,这当然是对的,但是难道9、8、7就不是连续自然数吗?当你明白了这一点,这道题就容易多了。

4."资格"考试

要参观"海底世界"了。浩浩和蕾蕾别提多高兴啦!不过,爸爸出难题了:

"在参观之前,先做 20 道环保知识竞赛题,答对一题得 8 分,答错一题倒扣 5 分,没有回答 0 分。错 3 道可就没资格参观'海底世界'了。"

浩浩全答对了,蕾蕾 20 道题得了 134 分。

小朋友,你说蕾蕾还有资格参观"海底世界"吗?她答错了几道题?

拍脑袋指点:如果蕾蕾 20 题全答对,可得 $8 \times 20 = 160$(分),实际只得 134 分,少得了 $(160 - 134) = 26$ 分。如果错一题,不仅得不到 8 分还要倒扣 5 分,实际做错一题要少得 $(8 + 5) = 13$ 分。少得的 26 分中有几个 13 分,就是蕾蕾做错了几道题。

5. 养　　兔

博士爷爷带贝贝、乐乐去参观养兔场,养兔场有甲乙丙丁四个组,都养了一窝兔子。四窝兔子一共有 150 只。其中甲乙丙三窝有 120 只,乙丙丁三窝有 95 只,丙丁甲三窝有 100 只。博士爷爷请贝贝他们俩算一算各组养了几只兔子?

亲爱的小朋友,请你认真审题,分析后再解答。

　　拍脑袋指点:题中反复出现甲乙丙、乙丙丁、丙丁甲,使人眼花缭乱,但细心观察一下,求每组各养多少只兔子却很简单。因为四组的总数已告知,此后的每三组都缺了丁、甲、乙,用总数 150 只减甲乙丙三组的和 120,余下的必是丁组的兔数,依此下去,其余各组都可以求得了。

小朋友,你想到了吗?

6. 豆豆打工

自从建立了自然保护区,森林里的动物们可高兴啦!他们可以在自然保护区内安居乐业了。你看,黑熊又添了两个可爱的小宝宝,他正忙着盖新房子呢!这天,小猴豆豆来黑熊家打工,帮助锯木料。按协议,每锯一次可得工资2元,豆豆干得很卖力,很快就将6根木料,按要求锯成24段。结算工资时,黑熊说,锯下一段木料就要锯一次,锯一次应付工资2元。豆豆把木料锯成24段,就锯了24次,应付工资2×24＝48元,豆豆领了工资高高兴兴回家了。晚上,豆豆对黑熊付的工资进行复算,发现黑熊多付了工钱,豆豆为人诚实,第二天清早就把多领的工钱退给了黑熊。

聪明的小朋友,你知道黑熊哪儿算错了?豆豆应退给黑熊多少钱?

🔆 **拍脑袋指点**:锯一次可把一根木料锯成二段,那么一根木料锯成（24÷6）＝4段,只要锯（4－1）＝3次就可以了,这样就可以求出锯6根长木料,按要求锯成24段,需要锯几次了,再求出黑熊应付给豆豆的工资,以及豆豆应退给黑熊的钱。

7. 楼 梯 台 阶

小象博士给动物们出了这样的一道题：

小平和小亮同住在一幢大楼里，相邻两层楼之间的台阶级数相同。小平住五楼，小亮住四楼。小平每天回家要走 80 级台阶，小亮回家要走多少级台阶？

小猴抢着回答：$80 \div 5 \times 4 = 64$（级）

小兔想了想说："从地面到五楼实际只经过四层楼的台阶，同样从一楼到四楼也只跨三层楼梯台阶，所以：$80 \div (5-1) \times (4-1) = 60$（级）"

小朋友，你认为小猴和小兔谁说得对呢？

🧠 拍脑袋指点：小平住五楼，与 1 楼的间隔为 $5-1=4$（层）4 层一共有 80 级台阶，那么每层就有台阶 $80 \div 4 = 20$（级）。小亮住 4 楼，与 1 楼的间隔为 $4-1=3$（层），因此小亮回家要走 3 个 20 级台阶。

小朋友，现在你知道谁对吗？

8. 孤岛脱险

动物数学城正在举行"智力游戏"活动。其中有这样的一道题：

很久以前，有 3 个人被困在一个孤岛上。为了回到陆地上，他们用一根木头做了一只木船。这只木船最多能载重 90 千克，而这 3 个人分别重 60 千克、50 千克和 40 千克。他们怎样使用这只木船才能脱险，全部回到陆地上？

小朋友，他们该怎么办呢？

拍脑袋指点：从条件看，3 个人的体重分别为 60 千克、50 千克、40 千克，而木船最多只能载 90 千克，所以 3 个人肯定不能同时驾船离开孤岛，只能分批驾船回陆地，而船在孤岛与陆地之间往返必有人驾驶。

9. 吃 糖

今天是明明过生日,爸爸买回来水果糖、芝麻糖、花生糖各一包。
弟弟高兴得直拍手,吵着要吃糖。爸爸说:"你能算出每包糖的
价钱,就给你吃糖?"弟弟不住地点头。爸爸说:"我买来的水果糖比
芝麻糖便宜,花生糖比水果糖贵,芝麻糖比花生糖贵。最便宜的那包
糖是 0.96 元,比最贵的那包少 0.45 元。一共用去 3.60 元,你说,每
包糖各是多少元呢?"弟弟想了想说:"我知道了,最便宜的是水果糖,
最贵的不是花生糖。这有什么难算。"说着,他就算了起来。

小朋友,你会算吗?

🧠 **拍脑袋指点**:三种糖:最贵的是芝麻糖,花生糖次之,水果糖
最便宜。

水果糖每包 0.96 元,最贵的芝麻糖的价钱就等于水果糖每包的
价钱与芝麻糖比水果糖贵的 0.45 元的和。再从 3.60 元去掉芝麻糖
和水果糖的价钱,即可得花生糖每包的价钱。

10. 小 猴 植 树

　　星期天,猴妈妈拿来了 6 棵树苗,对小猴豆豆说:"豆豆,植树节到了,你把这 6 棵树苗栽到我们的绿化区。要求栽 3 行,每行栽 3 棵。"这下可把小猴豆豆难住了,每行栽 3 棵,3 行共需要 9 棵树苗,可现在只有 6 棵,少了 3 棵,怎么栽呢? 于是,他就去问妈妈:"妈妈,按您的要求,6 棵树苗不够栽的呀?"猴妈妈笑了笑,说:"够了,你动动脑筋,想办法嘛!"想呀! 想呀! 小猴豆豆终于想出了多种栽法,都符合猴妈妈的要求。

　　小朋友,你知道小猴豆豆想出了哪些栽法吗?

　　🌀 **拍脑袋指点:**因为"缺少 3 棵树苗,所以按要求栽,必须有 3 棵,既在这一行,又在那一行。"

　　小朋友,你想出来了吗?

11. 游苏州乐园

哇！太棒啦！丁丁的爸爸要带丁丁和毛毛头去游苏州乐园。"不过去之前,我得考考你们"丁丁爸爸说,听好:"在 100 位旅游者中,有 75 人懂法语,83 人懂英语,每人至少懂一种语言。你们说既懂法语又懂英语的旅游者有多少人?"

小朋友,一步一步地分析,这个问题就解答出来了。

懂法语的旅游者　　懂英语的旅游者

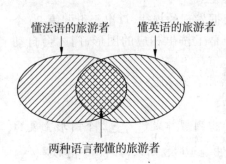

两种语言都懂的旅游者

拍脑袋指点: 从图中看出,懂英语的旅游者中包括"懂英语不懂法语"和"英语、法语都懂"的两部分,同样地,懂法语的旅游者中包括"懂法语不懂英语"和"法语、英语都懂"的两部分。所以把懂英语的人数和懂法语的人数合并起来时,两种语言都懂的人数就重复计算了一次。可见,合并起来的人数多于全班学生的总人数;多出的人数就是两种语言都懂的人数。

12. 第 20 个是 "谁"呢？

博士爷爷准备带方方、圆圆去参观小小动物园。他们走到动物园门口站住了,原来门上的图形拦住了他们:

① ○△○△○△○△……

② ○△△○△△○△……

③ ○○△△○△△……

找出每组图形的规律,并根据发现的规律,算出每组的第 20 个图形是什么? 算出来在电子屏幕上按出相应的图形,门才会自动打开。

小朋友,你要想进去,就快算出答案来吧!

🌀 拍脑袋指点:第①行的排列规律是○△ 2 个图形重复出现。$20 \div 2 = 10$,即○△ 重复出现 10 次,所以,第 20 个图形是△。

第②行的排列规律是○△△ 3 个图形重复出现。$20 \div 3 = 6 \cdots\cdots 2$,即○△△ 重复出现 6 次后又出现两个图形○△。

第③组的排列规律是○○△△ 4 个图形重复出现。$20 \div 4 = 5$,即○○△△ 重复出现了 5 次。

13. 数 手 指

　　一位数学家突然被他的小女儿吸引住了。女孩子跪在地上,伸开左手,正在数手指呢! 她的数法是:大拇指为 1,食指为 2,中指为 3,无名指为 4,小指为 5;然后换向,无名指为 6,中指为 7,食指为 8,大拇指为 9,再换向,食指为 10……数到 50 还没有停下,数学家就去问她:"孩子,你数手指头干吗呢? 你要数到多少才停下呢?"

　　女孩站起身来说:"爸爸,你一打岔,我把数到哪个手指给忘了,只好重头来,我要数到 1981,看停在哪个手指上。"

　　数学家闭上眼睛想了一想,说"原来如此,如果你不数错的话,应该落在……"。

　　女孩真的数到 1981 了,使她惊奇的是父亲的预言完全正确,于

是她要找父亲问个究竟，但是父亲已经出门了。

小朋友，你知道 1981 数到哪个手指吗？你能告诉小女孩，应该怎样巧算吗？

拍脑袋指点：因为这样数手指时，八个数为一个循环，所以不管你要数多么大的数，只要将它先除以 8，知道余数后，只要数余数就行了。

其实任一整数除以 8 的余数与它的百十个三位数除以 8 的余数是一致的。所以，如果你要判断 27531981 数到哪个手指。你只要将 981 除以 8，找出余数就够了。

14. 和尚分馒头

晚上,倩倩要猜谜语,爷爷却要她解一道难题:一个大和尚一餐吃 3 个馒头。三个小和尚一餐吃 1 个馒头,现在大和尚、小和尚一共有 100 个。一餐刚好吃了 100 个馒头。问:大和尚和小和尚各几人?

太难了! 倩倩挠挠头,不知用什么方法解决才好!

小朋友,不管倩倩答出来没有,根据爷爷给的条件,你会算吗?

🌀 **拍脑袋指点:** 由于大和尚一人分 3 个,小和尚三人分 1 个,所以每 4 个馒头中,便有一个大和尚和三个小和尚。将 100 个馒头每 4 个一组,分得的组数便是大和尚的人数。

小朋友,这道题以后你还可以用分数方法来解答。

15. 植 物 娃 娃

自然胡老师请董尧尧、许亮亮等几个小朋友把 6 箱植物娃娃搬到小小植物园。每箱装的娃娃数量一样多。尧尧和亮亮他们把植物娃娃发给小生物爱好者。他们发出了第一箱里的 14 个,第二箱里的 12 个,第三箱里的 13 个,第四箱里的 17 个,第五箱里的 22 个,第六箱里的 8 个。最后 6 个箱里剩下的植物娃娃个数的总和等于原来 4 个箱里的植物娃娃个数的和。

小朋友,你知道原来每个箱子装了多少个植物娃娃吗?

✿ **拍脑袋指点**:由条件"6 个箱里剩下的植物娃娃个数的总和等于原来 4 个箱里的植物娃娃个数的和。"

可以得到:发出的 $14+12+13+17+22+8 = 86$(个)植物娃娃等于原来 $(6-4)2$ 箱植物娃娃个数的和。这样就可以求出原来每箱装有多少个植物娃娃。

16. 毛毛头说得对吗?

博士爷爷拿来了十把不同的锁,每把锁都有一个能打开它的钥匙。现在把 10 个钥匙混在一起了,要给每把锁都配上钥匙,至多试多少次,就保证能成功?

尧尧说:"要不凑巧,一把锁得试 10 次,才能找到打开的钥匙。10 把锁,每一把锁试 10 次,$10 \times 10 = 100$,得试 100 次。"

毛毛头说:"错了,第一把可能要试 10 次,第一把锁配上了钥匙,只剩下 9 个钥匙了,第二把锁至多试 9 次就成了。以此类推:第三把至多试 8 次……$10+9+8+7+…+3+2+1 = 55$,至多一共试 55 次,就可以了。"

小朋友,尧尧显然错了,但是毛毛头说得对吗? 正确的答案是多少次呢?

💡**拍脑袋指点:**开第一把锁的时候,如果不凑巧,试了 9 把钥匙还不行,那么剩下的第十把钥匙一定能打开,所以用不着试 10 次,至多 9 次就成了。同样的道理,开第二把锁至多只要试 8 次,开第三把锁至多只要试 7 次……到第 9 把锁也配上钥匙,剩下的 1 把钥匙不用再试,一定能打开第十把锁。

17. 粗心的马小虎

数学小博士出了一道有余数的除法题。粗心的马小虎把被除数 137 错写成 173。这样商比原来多了 3。而余数正好相同。小博士让马小虎给改正过来,并让他计算出这道题的除数和余数各应是多少?

亲爱的小朋友,你可不能像马小虎那样粗心,请你帮他改正确,好吗?

🌀 **拍脑袋指点**:根据题中所给的条件:① 因为被除数 137 错写成 173,173 − 137 = 36,所以被除数比原来多了 36。

② 因为商比原来多了 3,而且两个算式的余数相同,所以 36 ÷ 3 = 12,除数是 12。

③ 137 ÷ 12 = 11……5   173 ÷ 12 = 14……5
符合题意。

18. 小狗和小猫

小狗和小猫要比赛谁跳得快。小狗对小猫说:"我比你跳得远,我一跳就是三尺远,你跳一次只有两尺。"小猫不服气地说:"我动作快,你跳两次的时间,我可以跳三次。"

兔子听到他们的争论就说:"用不着争论,你们俩比一比,就知道谁快谁慢了。来,我给你们当裁判。"兔子选了两棵树,树的距离是100尺。要求他们跳一个来回。

比赛的结果是怎么样的呢? 小朋友,你不妨猜猜看。

拍脑袋指点:狗一跳三尺,跳 33 次是 99 尺,再来一跳,就跳到了 102 尺处,掉过头,再跳回来,一共多跳了 4 尺,而猫跳 50 次,恰好是 100 尺,没有多跳。

从时间上说,猫和狗跳六尺的时间是相同的。狗来回跳了 204 尺,共用去了跳 34 个六尺的时间,而猫来回跳 200 尺,只用了 33 个六尺加一跳的时间。

小朋友,现在你知道谁跳得快吗?

19. 2分和5分

星期天,明明找丁丁上街,丁丁要去新华书店买一本《汉语成语词典》。他先拿出自己储蓄若干元的存折。又把储蓄罐里的硬币全都倒了出来,他把硬币数了一下。丁丁想考一考明明,便说:"明明,储蓄罐里的30枚硬币是由2分和5分组成的,共值9角9分。你算一算2分和5分各有多少枚?"明明说:"这怎么算哪?"

小朋友,你说该怎么算呢?

🕐 拍脑袋指点:假如30枚硬币全是2分币,则应共值(2×30) = 60分,比实际少($99 - 60$) = 39分,这39分就把其中的5分当作2分后一共少的钱。一枚2分比一枚5分币少($5 - 2$) = 3分。把一共少算的钱数除以每一枚少算的钱数,就可以求出5分币的枚数。

小朋友,假如30枚硬币全是5分币,该怎么想呢?试试看。

20. 荔枝和桂圆

  星期天,小白兔和兔妈妈一起去集市买荔枝和桂圆看望生病的外婆。他们来到了长颈鹿大婶的果品店,长颈鹿大婶装了一袋荔枝,又装了一袋桂圆。称好后,给了小白兔一袋,给了兔妈妈一袋。小白兔想知道荔枝和桂圆每千克各是多少元。长颈鹿大婶笑了笑说:"6千克荔枝和8千克桂圆共312元,并且5千克荔枝的价钱等于2千克桂圆的价钱。你自己算算看。"

  小朋友,你知道荔枝和桂圆每千克各是多少元吗?

  🌀 **拍脑袋指点:** 由"5千克荔枝的价钱等于2千克桂圆的价钱"这一条件,可以推出8千克桂圆的价钱就相当于20千克荔枝的价钱。买6千克荔枝和8千克桂圆共312元,也就相当于买26千克荔枝共用312元。

21. 她们各姓什么

　　有三个小姑娘穿着崭新的连衣裙去参加游园会。三个小姑娘的姓分别是：王、李、刘。三条连衣裙的颜色分别是：花的、白的、红的。但不知哪一个姓王，哪一个姓李，哪一个姓刘。只知道姓刘的不喜欢穿红的。姓王的既不是穿红裙子的，也不是穿花裙子的。那么，这三个姑娘各姓什么呢？

　　小朋友，你不妨用排除法试试看。

　　🌀**拍脑袋指点**：由"姓王的既不是穿红裙子的，也不是穿花裙子的。"可以推出穿白裙子的姑娘姓王。现在只有穿花裙子和穿红裙子两人，由"姓刘的不喜欢穿红的，"可以推理出，穿花裙子的姓刘。那么，剩下的穿红裙子的一定是姓李。

　　小朋友，你判断出来了吗？

22. 爷爷儿子孙子各几岁

董尧尧问隔壁王爷爷:"您多大年纪了?"王爷爷说:"我活的年数等于我孙子的月数。""那您的孙子有多大?""他活的日数等于他父亲活的星期数。""那您的儿子多大呢?""我们三人一共100岁。"尧尧,你说我们三人的年龄分别是多大岁数呢?

小朋友,你知道吗?

🔆 **拍脑袋指点:** 由"我活的年数等于我孙子活的月数。"可知爷爷的年龄是孙子的12倍;由"他活的日数等于他父亲活的星期数。"可知儿子的年龄是孙子的7倍。因此,我们可以把孙子的年龄作为1份,则儿子和爷爷的年龄分别有这样的7份和12份。又知三人的年龄和是100岁,这样可求出孙子的年龄。

23. 赶鸭子

　　傍晚赶鸭子，小明问："小刚，你家养了几只鸭子？我帮你数。"小刚说："你要知道我家养了几只鸭子吗？"你听我说："在我家这群鸭子数上加上数目相同的一群鸭子，再加上我家鸭子的一半，再加上我家鸭子一半的一半，最后加上你家的一只鸭子，刚好 100 只，你算算看，我家这群鸭子有多少只？"小明想来想去也想不出。小刚赶好鸭子，拿了一根小树枝，把刚才讲的意思在地上用线段图表示出来，小明一看，高兴地叫起来说："我会算了！"

　　小朋友，你会算吗？

　　🌞 **拍脑袋指点**：画线段图帮助分析数量关系：

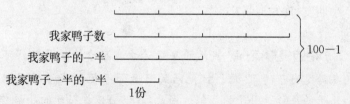

　　可把我家鸭子一半的一半作为 1 份，则我家鸭子的一半就是这样的 2 份，我家鸭子就是这样的 4 份。

24. 对号入座

有一座四层楼房(如图,阴影代表蓝色),每层楼有 3 个窗户,每个窗户有 4 块玻璃,分别是白色和蓝色。每个窗户代表一个数字,从左到右表示一个三位数,四个楼层所表示的三位数分别是 791,275,362,612。那么,每层楼各代表哪个三位数呢?

小朋友,你能将这四个三位数对号入座吗?

🧠 **拍脑袋指点**:仔细观察上图和组成三位数的 12 个数字,可以发现,"2"出现了 3 次,两次在个位,一次在百位。很容易看出

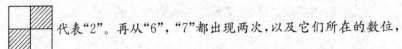 代表"2"。再从"6","7"都出现两次,以及它们所在的数位,

并考虑与"2"的关系,可推知 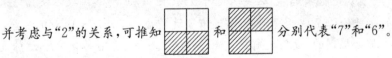 分别代表"7"和"6"。

25. 加减乘除还是7

博士爷爷要去郊外钓鱼,丁丁、贝贝、乐乐都争着要去,可只能带一人,让谁去呢? 博士爷爷对他们说:"这样吧! 我让你们猜一个数,这个数加上7,减去7,乘以7,除以7,结果还是等于7。你们谁先说出这个数是几,我就带谁去。"乐乐他们谁去了呢?

小朋友,用逆推法试试,结果很快就会出来的!

🌀 **拍脑袋指点:**这类问题一般用"逆推法"解答比较方便。结果的7是除以7以后得到的,若没有除之前应是$7 \times 7 = 49$,49又是乘以7后得到的,没乘之前应是$49 \div 7 = 7$,……这样倒推下去,遇除变乘,遇乘变除,遇加变减,便可追根究底,求出答案。

26. 古老的钟楼

　　有一座古老的钟楼,楼顶上的大钟到时候总要叮叮当当地鸣钟报时。1 点钟响一下;两点钟响二下,……12 点钟响 12 下。钟楼报时的时候,每响一响,钟声要延续 5 秒钟,然后停 10 秒钟,再响第二声。

　　假如钟楼现在报的时间是 3 点钟,那么,一共需要经过多少秒钟,才能够做出判断呢?

　　小朋友,你要仔细审题,千万别马虎啊!

　　🌀 **拍脑袋指点**:因为钟楼时钟在报时时,每响一下,钟声要延长 5 秒钟,钟响三下,要响 (5×3＝)15 秒,因为从第一响到第三响中间有两个间隔,所以需要 10×(3-1)＝20(秒),但是要确定 3 点钟,还必须知道这个钟会不会再响第四下,因此还需要再等 10 秒钟。

27. 门 牌 号 码

　　强强请铁蛋来家里作客,并且告诉他家住在一条短胡同里,这条胡同的门牌号码是从 1 号开始,挨着号码编下去。如果除我家外,其余各门牌号加起来,减去我家的门牌号数,恰好等于 100。

　　聪明的铁蛋用尝试法,一下子就猜出了强强家的门牌号码。

　　小朋友,你也来试试看。

　　🔆拍脑袋指点:所有各家门牌号码之和减去强强家门牌号数的 2 倍等于 100,因此,包括强强家在内的所有各家门牌号之和一定是一个大于 100 的双数。可用尝试法逐步试验,直至找到正确的答案。

　　13 号门牌号之和为 91

　　(1＋2＋3＋4＋⋯＋11＋12＋13 ＝ 91) 比 100 小。

　　14 家门牌号之和为 105。

　　(91＋14 ＝ 105),虽然大于 100,但它是单数。

　　15 家门牌号之和为 120。(105＋15 ＝ 120)

　　16 家门牌号之和为 136。(120＋16 ＝ 136)

　　⋯⋯

　　我们从假定这条巷共有 15 家开始分析。因为 15 家门牌号之和是 120,120－100 就是强强家门牌号数的两倍。所以,强强家的门牌

号码是 $(120-100) \div 2 = 10$。

　　那么,会不会是 16 家或更多的家数呢? 如果确有 16 家,因为 16 家的门牌号之和为 136,那么强强家门牌号是:$(136-100) \div 2 = 18$,即强强家的门牌号大于全巷最大的门牌号,这是不可能的。用同样的方法去计算,16 家以上也是不可能的。

28. 算 式 谜

　　毛毛头是个"数学谜",一天他在家里找到了一些旧课外书,书中有不少地方被虫蛀了,有些数字已看不清楚了,毛毛头用倒推法,计算、推理,很快把这些数字给补上了。

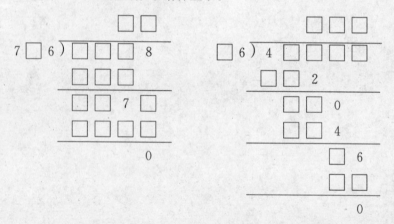

　　小朋友,你们看毛毛头补的数字对不对?

　　(1) 除数是三位数且百位数是 7,它与商的十位数字相乘,积仍是三位数,商的十位一定是 1。被除数的个位是 8,除数的个位是 6,商的个位可以是 3 或 8,根据题中所给的数字,商的个位只能是 3。进而填好其余各方框。

（2）除数个位是6,它与商的百位数字相乘积的个位数是2,商的百位可能是2或7,因为被除数的万位是4,故商的百位不可能是2,只能是7,除数的十位数只能是5或6。

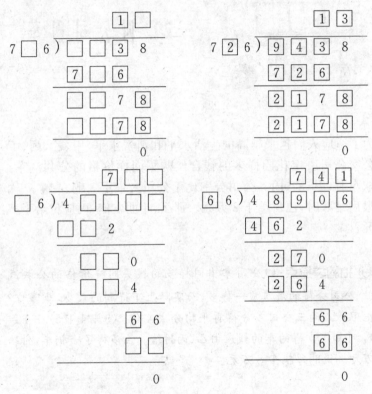

从竖式看商的十位与除数的个位的积的个位是4,商的十位只能是4,商的个位与除数的个位的积的个位是6,商的个位只能是1,那么除数的十位也只能是6。再做一次除法,可以填好其余的方框。

29. 四公司购车

为了适应人们越来越高的生活水平和消费水平,甲、乙、丙、丁四个公交公司决定花同样多的钱合伙购买同样价格的公共汽车。实际取车时,甲、乙、丙三公司分别比丁公司多拿了 3 辆、4 辆、5 辆车。最后结账时,乙付给丁 8 万元。那么,小朋友们,丙应付给丁多少万元?

🔧**拍脑袋指点:** 四公司拿出同样多的钱买同样价格的公共汽车,每个公司分得的汽车应一样多,而实际上丁得到的最少,少多少?只要把甲、乙、丙三公司多分得再平均分成 4 份。(3+4+5)÷4=3(辆),可知丁少得的车的钱应由乙、丙付给。乙多得了 1 辆车,付给丁 8 万元。说明每辆车 8 万元。

30. 雨 花 石

航航和明明各收藏了一些雨花石,如果航航给明明15块雨花石,则两人的雨花石块数相等;如果明明给航航15块雨花石,则明明的雨花石块数就只有航航的一半。

小朋友,你能说出航航和明明原来各有多少块雨花石吗?

拍脑袋指点: 我们可以这样想:

如果航航给明明15块雨花石,则两人雨花石块数相等,也就是说航航原来比明明多 $15 \times 2 = 30$(块)(见图1)

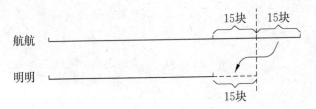

图1

如果明明给航航15块雨花石,则明明的雨花石块数就只有航航的一半。也就是说,如果明明给航航15块雨花石,航航的石块数就是明明的两倍。(见图2)

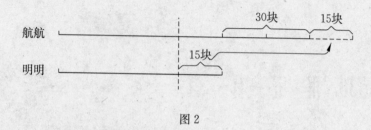

图 2

31. 谁留下了

数学小博士要带丁丁和兰兰去参观小小蔬菜园。丁丁和兰兰高兴得蹦啊！跳啊！不过参观之前，小博士让他们俩先算一道题，如果谁算不出来，那就只好留下了。小博士告诉他们：哥哥和弟弟摘黄瓜，一共摘了 78 根，哥哥比弟弟多摘了 8 根，哥哥和弟弟各摘了多少根？

小朋友，这属于什么问题呢？请你快帮帮他们吧！

🌀 **拍脑袋指点**：这道题属于和差问题。我们可以这么想：如果从总数中取出哥哥多摘的 8 根，则兄弟俩摘的瓜数便相等了，因此，余下的瓜数相当于弟弟摘的瓜数的 2 倍。可以先求出弟弟摘的瓜数，再求出哥哥摘的瓜数。

画个线段图就更清楚了：

```
                                    多8根
                              ┌─────┐
哥哥摘的根数 ├──────────────────────┤        ┐
                                             ├共
                                             │78
弟弟摘的根数 ├──────────────────┤             ┘根
```

因此，这类已知两数的和与差，求这两个数的题目的数量关系：
（和＋差）÷2 ＝ 大数，（和－差）÷2 ＝ 小数，或大数－差 ＝ 小数。

32. 插 彩 旗

国庆节到了,工人叔叔们要在一条长 100 米的街道两边插彩旗,从街的一端插起,每隔 5 米插一面彩旗,而且这条街的两端都要插。工人叔叔们要准备多少面彩旗呢?

小朋友,你能帮工人叔叔们算出来吗?

🌀 **拍脑袋指点**:这道题属于植树问题。

相邻两面旗的距离为 5 米,街道全长为 100 米,可以求出街道被平均分成 100÷5＝20(段),因为街的两端都要插彩旗,所以街道一边插彩旗的面数就要比段数多 1,即每边插 20＋1＝21(面),又因为街道两边都要插彩旗,所以,要将街道一边插彩旗的面数乘以 2,才能求出工人叔叔们要准备的彩旗面数。

33. 选足球队长

今天是民主小学足球兴趣小组在 41 名队员中选队长的日子。前任队长小海的心像十五个吊桶打水——七上八下。体育毛老师统计票后发现，四名候选人小海、小东、小西、小江分别得了 11 票、4 票、2 票、8 票。那么前任队长小海在剩余的选票中，至少再得多少票才能保证以最多票数当选队长？

小朋友，你帮帮小海算算好吗？

🧠 **拍脑袋指点**：这道题要从最坏的情况入手。小东和小西现有的票数较少，因此可以先不考虑他们俩。现在小海和小江相差 11－8＝3 票。为了保证小海能胜出。在剩余的票中，小海只能比小江少得 3－1＝2 票。（为什么？）这样小海才能保证以最多票数当选队长。

34. 1999 年 元 旦

爸爸带倩倩去科技展览馆参观,刚准备到模拟太空舱玩,被舱门给拦住了,上面贴着一张启事:

"1998 年元旦是星期四,1999 年元旦是星期(　　　　)。"答对者,请入太空舱。

倩倩想了想,拿起笔,在括号里填了个数,舱门立即打开了,倩倩和爸爸进舱了。

小朋友,你知道倩倩是怎么算的吗?

拍脑袋指点:这是周期问题,推算一下,7 天为一周期,1998 年的元旦是星期四,周期应为 7(星期五、星期六、星期天、星期一、星期二、星期三、星期四),从 1 月 2 日算起到 1999 年元旦共经过 365 天(1998 年是平年)。

注意:解答时要判断题中的年份是平年还是闰年,平年一年 365 天,闰年一年 366 天。

35. 送 球 拍

丁丁被选入羽毛球队去区体育馆参加比赛,他以每分钟 40 米的速度从家步行去,不巧,他忘了带羽毛球拍,丁丁出发 5 分钟后,爸爸以每分钟 60 米的速度带上羽毛球拍从家出发去追丁丁,爸爸需要多长时间才能追得上丁丁?(家到体育馆足够远,爸爸追上丁丁时仍没到体育馆。)

小朋友,这类追及问题,该怎么解答呢?

🔄 拍脑袋指点:根据题意,丁丁先走了 5 分钟,也就是当爸爸出发时丁丁已经比爸爸多走了 40×5 = 200(米)。这 200 米就是爸爸的追及距离(路程差),因为爸爸每分比丁丁多走 60 - 40 = 20(米),所以要求爸爸几分可以追上这 200 米,就是求 200 米里面有几个 20 米。

因此这类追及问题的基本数量关系是:

$$路程差 = 速度差 \times 追及时间$$

36. 占领阵地

　　博士爷爷带着红红和方方走入一个"相交圆形"阵地（如图）"阵地"旁边摆了些写有数字 1—8 的标牌，博士爷爷让他们俩将数字分别插入八个"○"内，每人负责一个圆周，要使每个圆周上五个数的和都等于 21。这不仅需要独立作战，而且还要有整体配合精神呢！红红和方方紧张地忙碌起来。

　　小朋友，怎样才能又快又准确地插完，你有什么高招吗？

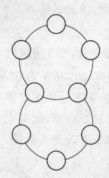

　　🔷 **拍脑袋指点**：设两个圆的交叉点上的两个○内各是 a、b，那么，在计算两个大圆周上 10 个数的和时 a 和 b 都多加了一次。根据题意可知：$1+2+3+4+5+6+7+8+a+b$ 除以 2 应该是 21，从

而可得 $(36+a+b)\div 2=21$，则 $a+b=42-36=6$，从 $1\sim8$ 中，只有 1 和 5，2 和 4 这两组数的和是 6。

　　如果中间两个○内分别填 1 和 5，另外三个○内数的和都应当是 $21-6=15$，在 2、3、4、6、7、8 六个数中，和相等的只有 2、6、7 和 3、4、8。

　　同样如果中间两○填 2 和 4，其他的数可分成 1、6、8 和 3、5、7。

37. 喝可口可乐

有一天,李老师带尧尧、亮亮去野外爬山,师生三人正走得口渴,李老师拿出一瓶可口可乐,说:"今天我要考考你们,谁答得对,就把这瓶可口可乐给谁喝"。

李老师把一枚五分硬币放在地上对尧尧和亮亮说:"现在是正面朝上,要是再翻动1997次,哪一面朝上呢?"

尧尧说:"正面朝上"。

亮亮说:"反面朝上"。

小朋友,你们替李老师看一看,可口可乐该给谁喝呢?

🧠 **拍脑袋指点**:翻动1次,反面朝上;翻动2次,正面朝上,翻动3次,反面朝上,翻动4次,正面朝上,……可见翻单数次,反面朝上,翻双数次,正面朝上。那么,1997次是单数还是双数呢?

38. 饭前趣味题

博士爷爷带着贝贝、乐乐走进了饭厅,刚刚落座,博士爷爷便又给大家出难题了,他让贝贝、乐乐想一想:把这个正方形的餐桌,砍掉一个角,还会有几个角? 要是答不对嘛,这顿丰盛的晚餐就免了。贝贝他们能吃上丰盛的晚餐吗?

小朋友,你快帮帮贝贝、乐乐吧! 否则他们会饿坏的!

🔧拍脑袋指点:这类问题是不应该简单的用"4-1"的方法来解决。由于没讲如何砍那个角,我们必须多角度地观察、思考。

可能会出现下述三种情况:(图中阴影部分为砍掉的角)

(1)

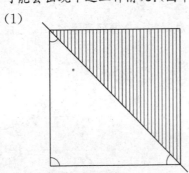

这样砍还剩3个角

(过2个顶点)

（2）

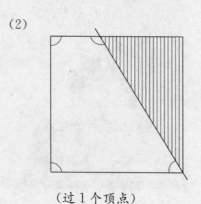

这样砍还剩 4 个角

（过 1 个顶点）

（3）

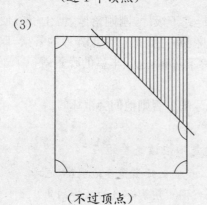

这样砍还剩 5 个角

（不过顶点）

　　小朋友遇到问题要经过大脑思考，考虑问题要全面，不能简单了事。

39. 到小鹿家去

　　小马、小羊和小鹿是好朋友,小马住在森林的东边,小羊住在森林的西边,小鹿住在森林的中间。有一天,小马打电话给小羊,约他一起到小鹿家玩,他俩同时各自从家出发,同时到达小鹿的家,三个好朋友见了面,高兴极了!

　　小鹿奇怪地问:"怎么这么巧,你俩同时到我家?"小马和小羊调皮地朝小鹿眨了眨眼睛,又交头接耳了一番。"小鹿,我们请你做一道数学题好吗? 做完题,你就明白了。"小羊说。"好,你出题吧!"小鹿说。小羊说:"我和小马同时出发,我每小时行 8 千米,小马每小时行 12 千米。"小马对小鹿说:"从我家到你家,再到小羊家一共要走 40 千米,我和小羊都是从自己家到你家,我比小羊多走 8 千米。"

　　"请你算一算,我和小马从自己家走到你家,各要多少小时?"小羊说。

　　聪明的小鹿很快就算出小羊要走 2 小时,小马也要走 2 小时。

　　"原来如此,"小鹿高兴地说:"你们俩同时出发,要走的时间相同,当然同时到达啦!"

　　小朋友,你知道小鹿是怎么算出来的吗?

　　🌀 **拍脑袋指点**:小羊和小马同时出发,同时到达,说明它们用了

相同的时间到小鹿家。小马每小时比小山羊多跑(12−8)＝4千米。而到小鹿家时,小马比小羊多跑8千米,这样可求出小马比小羊多跑8千米要用多少时间。(即它们俩到小鹿家的时间。)

40. 填图游戏

　　明明最喜欢玩填图游戏,可爸爸拿来的两套图片中,其中各有一张是空白的,爸爸要明明认真观察图形变化规律,补上空白,使它们成为一个完整的系列。(见图)只见明明略思片刻,然后大笔一挥,就在两张空白卡片上画出合格的图案。

　　小朋友,你知道填什么图形吗?

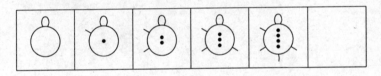

图 1

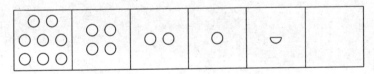

图 2

　　💡 拍脑袋指点:图 1 通过观察可发现画乌龟的顺序(规律):头身→一只脚,背上一个点→二只脚,背上两个点→三只脚,背上三个

点→三只脚,一条尾巴,背上四个点根据这样的画图规律,最后一幅图应画最后一只脚,背上再画一个点(四只脚,背上五个点)。图2第一幅图中画了八个小圆,第二幅图中小圆数是前一幅的一半,$8 \div 2 = 4$个,第三幅图中的小圆数也是前一幅的一半,$4 \div 2 = 2$个……按这样的规律下去,第六幅图的小圆数也应是它前一幅的一半。

41. 可爱的小花狗

　　大毛和二毛进行体育锻炼，两人同时从相距 1000 米的两地相向而行。大毛每分钟行 120 米，二毛每分钟行 80 米，一只小花狗与大毛同时同向而行，每分钟行 500 米，小花狗向二毛奔去，当遇到二毛后，立即回头向大毛跑去，遇到大毛后再向二毛跑去。这样不断来回，直到大毛和二毛相遇为止。

　　聪明的小朋友，你能算出小花狗一共行了多少米吗？

　　🌀 **拍脑袋指点：** 要求小花狗共行了多少米，必须知道狗跑的速度和狗所走的时间。狗的速度是每分钟跑 500 米，关键是要求出狗走的时间。根据题意可以知道：狗是同人同时行走的，狗不断地来回行走的时间就是大毛和二毛同时出发到两人相遇的时间。

　　小朋友，你想到了吗？

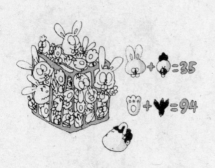

42. 鸡兔同笼

小朋友,你也许听老师讲过鸡兔同笼的问题吧? 这个问题,是我国古代三大游戏题之一。

大约在1500多年前,大数学家孙子就将这个有趣的问题记载于《孙子算经》中了。书中是这样叙述的:"今有鸡兔同笼,上有三十五头,下有九十四足,问鸡兔各几何?"这4句话的意思是:有若干只鸡兔同在一个笼子里,从上面数,有35个头;从下面数,有94只脚。求笼中各有几只鸡和兔? 你会解答吗? 你想知道大数学家孙子在1500多年前是如何解答这个问题的吗?

大数学家孙子是这样解答的:假设砍去每只鸡、每只兔一半的脚,则每只鸡就变成了"独脚鸡",每只兔就变成了"双脚兔",这样:(1)鸡和兔脚的总数就由94只变成了47只;(2)如果笼子里有一只兔子,则脚的总数就比头的总数多1,因此脚的总只数47与总头数35的差,就是兔子的只数。即 $47 - 35 = 12$(只),显然,鸡的只数就是:$35 - 12 = 23$(只)了。

小朋友,你看懂了吗? 你能用类似的方法解答下面的题目吗?

龟鹤共有100个头,350只足,问龟鹤各多少只?

43. 组气球拼数字

毛毛头、丁丁、佳佳、芳芳一人吹起一只大气球,刚好是黄、绿、蓝和紫四种颜色。他们吹起的气球上各标有"0"、"7"、"4"、"2"四个数字。数学王老师让大家用气球做一个数学游戏,从四个数字中挑选三个数字组成三位数,一共能组成多少个不同的三位数?谁说对了,就送给谁一只大气球。

小朋友,毛毛头他们都得到了气球,你知道他们是怎么答的吗?

🔧 **拍脑袋指点**:我们知道,只要个位、十位、百位上的数字分别确定了,一个三位数也就确定了。因此,我们可以按照"先考虑百位,后考虑十位,再考虑个位的顺序一一列举出所有的三位数",排三位数时应注意"0"不可以排在百位上,因为"0"在百位上,实际上是两位数,排列情况可以用图表示:

$$7 \begin{cases} 0 \begin{cases} 2 \\ 4 \end{cases} \\ 2 \begin{cases} 0 \\ 4 \end{cases} \\ 4 \begin{cases} 0 \\ 2 \end{cases} \end{cases} \qquad 4 \begin{cases} 0 \begin{cases} 2 \\ 7 \end{cases} \\ 2 \begin{cases} 0 \\ 7 \end{cases} \\ 7 \begin{cases} 0 \\ 2 \end{cases} \end{cases} \qquad 2 \begin{cases} 4 \begin{cases} 0 \\ 7 \end{cases} \\ 0 \begin{cases} 4 \\ 7 \end{cases} \\ 7 \begin{cases} 0 \\ 4 \end{cases} \end{cases}$$

44. 篮球 排球 和足球

体育活动俱乐部将要举行球类比赛。体育朱老师派毛毛头去买篮球足球和排球共 95 个,其中排球数是篮球数的 2 倍,足球数比排球数少 5 个,这下可为难毛毛头了,篮球、足球、排球各应买多少个呢?

小朋友,你能帮毛毛头算算吗?

🌀 拍脑袋指点:我们通过上面条件可知:排球数和足球数都和篮球数比,可以把篮球数看成一份的量,则排球数就有这样的 2 份,足球数比这样的 2 份少 5 个。用线段图表示:

```
篮球  ├───────────────┤
                              ⎫
排球  ├───────────────────────────────┤   ⎬ 95个
                                        ⎭
足球  ├──────────────────────┤ 少5个
```

从上图可以看出:

把足球数加上 5 个,就正好是篮球数的 2 倍,这样总数就是:
$95 + 5 = 100$(个)。

45. 植 树 的 学 问

有一天,小动物们准备去植树。

大象老师说:"别急,我先要考考你们,3棵树可以栽成1行;也可

以栽成3行,每行2棵。如图 ,那么在正方形的四条边上栽

树,每行栽3棵,最少栽多少棵?"

快嘴的小松鼠说:"要栽12棵"。

聪明的小猴说:"正方形的每个角上栽1棵树,四个角共栽4棵,

再在每条边的中间栽1棵,栽成 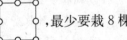,最少要栽8棵。"

大象老师又出了下面这道题:

把10棵白杨树苗种成5行,每行必须栽4棵,设计一张栽树平面图。
这下可难住了小动物们。

小朋友,让我们一起帮他们想想办法,好吗?

🌀 拍脑袋指点:把10棵树苗平均栽成5行,每行栽4棵,这里肯
定有若干棵树被重复计算了,也就是说某一棵树,既在这一行,又在另
外一行或几行中,那么每棵树苗都得重复计算,否则是不可能的。

46. 先算算,再选择

  电信公司"小灵通"有两种收费方式:一有月租费25元,每通话1分钟0.1元(不足1分钟算1分钟)。二没有月租费,每通话1分钟0.2元(不足1分钟算1分钟)。美术王老师刚买了一部"小灵通",你认为他该选择哪种收费方式呢?

  小朋友,你来帮帮王老师算算好吗?

  拍脑袋指点:通过计算发现,如果王老师一个月通话时间为250分钟。第一种方式收费 $25+250×0.1=50$ 元,第二种方式收费 $250×0.2=50$ 元,此时两种收费方式的话费一样多。

  如果王老师一个月通话时间超过250分钟。那么第一种收费方式收取的话费低于第二种收费方式收取的话费。如果王老师一个月通话时间不到250分钟。那么第二种收费方式收取的话费低于第一种收费方式收取的话费。

47. 众猴渡河

　　齐天大圣孙悟空率领众猴下花果山,到野外行军练兵。行至晌午烈日当空,猴儿们一个个口干舌燥,腹中饥饿难忍。忽然从不远处飘来一股水果的清香。众猴将手搭在眉上一望,原来河对岸是一片果林,挂满红通通,金灿灿的水果,引得众猴口水都流了出来,过河去摘吧,可是河太宽,没船过不去,众猴心里好焦急,这时,机灵猴有了主意,他快步走到齐天大圣面前,央求悟空道:"大王,将您的金箍棒借孩儿们一用,变作船渡孩儿们到对岸摘果子去。"悟空道:"行啊,我唱一首山歌,如果你能把其中的算题解出来,我就借给你。一群小毛猴,共有八十九,过河摘水果,仅有一条舟,一共渡九个,要分几次走?"机灵猴不假思索,随口答道:"这还不容易吗? 一共渡几次,就看89里包含多少9,89÷9＝9(次)……8(人) 共需渡10次。"悟空说:"看来,我的金箍棒,还不能借给你,因为必须11次才能把89只猴渡完呢!"

　　小朋友,他们谁说得有道理呢?

　　🧠 **拍脑袋指点**:悟空说得有道理。虽然小船每次能渡9只猴过河,但小船返回时必须有一只猴把船划回来。所以实际每次只能有9－1＝8(只)猴过河,而89÷8＝11(次)……1(只) 余下的1只猴在最后一次(第11次)9只猴一起渡过河。

48. 棋艺活动

丁丁和小伙伴们约好一共有45人到棋艺活动俱乐部,但集合时发现有3名小伙伴不会下棋。其余的或者会下围棋,或者会下象棋,或者两样都会。其中会下围棋的有40人,会下象棋的有32人,那么两种棋都会下的有多少人呢?

小朋友,一步一步分析,这个问题就会解答出来。

🔆 拍脑袋指点:这种重叠问题,可用图形帮助解答:

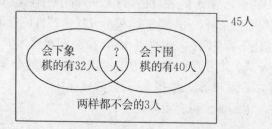

从图中可以看出,要求两样都会的人数,应先求出至少会一种棋的人数,用总人数-两样都不会的人数=至少会一种棋的人数。再求两样都会下的人数。两种棋都会下的人数=会下围棋的人数+会下象棋的人数-至少会下一种棋的人数。

49. 玩跷跷板

博士爷爷带拉拉和东东去看动画片,动画片里的小猴、小白兔、小猫正在玩压跷跷板游戏,双方重量正好平衡(见图)。博士爷爷要拉拉根据所看到的想一想:一只小兔和一只小猫共重多少千克?(一只小猴重4千克。)

🌞 **拍脑袋指点:**这道题要用等量代换法思考,根据"1只小猴的重量 = 2只小白兔的重量,可推出2只小白兔等于4千克(为什么?)即1只白兔等于2千克;又因为2只小白兔的重量 = 4只小猫的重量,可推出1只小白兔的重量 = 2只小猫的重量,那么1只小猫等于1千克(为什么?)。因此:1只小白兔+1只小猫 = 3千克。

小朋友,你看懂了吗?请你用类似的方法解答下面的题目:

3个苹果的重量＋1个梨的重量＝14个桔子的重量

6个桔子的重量＋1个苹果的重量＝1个梨的重量

1个梨的重量＝（　　）个桔子的重量

50. 兔子问题

中世纪意大利著名的数学家斐波那契提出了一对小兔子繁殖的有趣问题：

一对成年兔子每月能生一对小兔子，而每一对小兔出生一个月后便有了生殖能力，两个月后，生下第一对小兔。如果1月份有一对刚出生的小兔，而且这对小兔到了3月份生下第一对小兔，那么，这一年的12月份将会有多少对兔子？这道题目，其实并不难，小朋友也能做出来。

⚙ **拍脑袋指点**：第一个月，只有一对刚出生的兔子。

第二个月，由于还没有生殖能力，还是只有一对兔子。

第三个月，这对兔子生下一对兔子，于是总共有2对兔子。

第四个月，老兔子又生一对小兔，共3对兔子。

第五个月，老兔子又生一对，而第三个月出生的那一对兔子也生下一对，共有5对兔子；……

这样不难看出规律：每个月的兔子对数等于前两个月的兔子对数相加。

不难算出第六个月以后的兔子对数为：8、13、21、34、55 ……
这些数与前面5个数排成一列就是1，1，2，3，5，8，13，21，34，

55，89，144。

　　这就是斐波那契数列。

　　现在科学家已经发现，自然界里很多有趣现象都同这个数列有关呢！

51. 谁跑的路程长？

乐乐一家非常注重体育锻炼,每天坚持跑步。一天早晨,乐乐和爸爸、妈妈一起跑步。爸爸跑的路程比乐乐的 2 倍少 20 米,比妈妈的 2 倍多 10 米。

小朋友们,你们认为乐乐一家三口谁跑的路程长些呢? 长多少米?

🤔 **拍脑袋指点** :此题的解法有多种:

方法一 :线段图法。

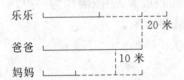

从图中可以看出:乐乐跑的路程比妈妈跑的长一些,长 $(20+10) \div 2 = 15$(米)(想一想为什么?)

方法二 :数值代入法。

假设乐乐跑了 400 米,则爸爸跑了 $400 \times 2 - 20 = 780$(米)。妈妈跑了 $(780 - 10) \div 2 = 385$(米),通过比较可得乐乐比妈妈跑的路程长一些,长 $400 - 385 = 15$(米)。

52. 怎样围面积最大?

盼盼的爸爸买回来 84 米长的铁丝网,准备在一堵墙的旁边围成一个长方形,爸爸让盼盼想想怎样围面积最大? 最大是多少?

盼盼想了想认为,围成正方形面积最大,用围墙作为一边,84 米铁丝网围三个边长,最大面积为 784 平方米。

亲爱的同学,你认为盼盼的想法正确吗?

🕐 **拍脑袋指点**:经过验证,围成正方形的面积并非最大,只有当长占三条边和(铁丝网长度)的一半时,面积才最大。

53. 蜗 牛 爬 树

在树林里有一棵10米的白桦树下，住着蜗牛兄弟俩，他们经常爬到这棵树5米高处听黄鹂唱歌。每天向上爬，蜗牛哥哥总是领先，还不断地催弟弟往上爬，时间长了，蜗牛弟弟摸清了哥哥爬树的规律，哥哥白天爬4米，夜里滑下3米，实际每天只爬1米；而自己呢？白天爬上2米，夜里滑下1米，实际每天也爬1米。为了在黄鹂面前展示自己的本领，蜗牛弟弟闹着要和哥哥举行爬树比赛。他对哥哥说："别看你白天爬得快，实际上咱俩每天前进的路程是一样的，咱俩进行爬树比赛，我肯定不会落后于你。"蜗牛哥哥被弟弟激火了，立即同意比赛。两人商定：比赛时间——明天早上；终点——树顶。

小朋友，蜗牛兄弟比赛的结果怎么样？你能回答吗？

🧠 **拍脑袋指点**：从题意可知：蜗牛哥哥每天实际只爬1米，那么6天可以爬6米，剩下的4米1天就可以爬完了（实际上是第7天的白天）。可求出它用了几天爬完。

蜗牛弟弟实际每天也爬1米，那么8天可以爬8米，剩下的2米1天就可以爬完了（实际上是第9天的白天）。可以求出蜗牛弟弟用了几天爬完。

小朋友，你现在知道谁获胜了吗？

54. 老鹰捉小鸡

　　活动课上,老师带同学们玩老鹰捉小鸡的游戏。轮到芳芳当老鹰,她捉了几次都捉不到小鸡。她灰心极了。

　　这时老师走过来说:"芳芳,别灰心,我这儿有一道题,如果你答对了,就免去你去'捉'"。请你听好:"在一个除法算式里,被除数、除数、商与余数的和是127,已知商是3,余数是2,那么被除数和除数各是多少?"

　　芳芳冷静地想了想,很快地算出得数,老师肯定了芳芳的答案,芳芳的"捉"给免去了。

　　小朋友,你知道芳芳是怎么做的吗?

　　🌀 拍脑袋指点:(1)画出线段图,帮助分析各部分间的数量关系。

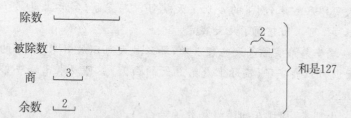

（2）在127里减去商、余数，再减去被除数比除数的3倍（为什么?）多的差，剩下的部分就是除数的4倍（为什么?）。这样可求出除数。

（3）根据"商×除数＋余数＝被除数"的关系式，可算出被除数。

55. 鲨鱼有多长

今天是科普俱乐部活动的第一天,博士爷爷带小会员们去参观水族馆。刚要进门,却被管理员给挡住了。他让同学们算一道题,算对了就让进去。题目是这样的:

有一条大鲨鱼,它的身长等于头长加尾长,它的尾长又等于身长的一半加上头长。已经知道鲨鱼头长3米。请算出这条鲨鱼的全长是多少米。

明明很快就算出了鱼的全长是多少。他和同学们一起进了水族馆。

小朋友,你也会很快答上来的,对吧?

拍脑袋指点:题中鲨鱼的头长已知是3米,身长＝头长＋尾长,尾长＝头长＋身长的一半。

可先画个示意图:

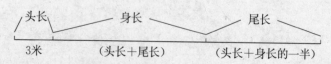

由图可见,只要求出尾长,则求身长就容易了。因此,求鲨鱼的尾长是解题的关键!

66

趣 味 数 学

尾长的求法,可作如下推导:

尾长＝头长＋身长÷2

　　　＝头长＋(头长＋尾长)÷2

2尾长＝2头长＋头长＋尾长(等式两端都×2)

尾长＝3头长

有了尾长,所求的问题就迎刃而解了。

56. 切 西 瓜

　　妈妈买来一个西瓜。敏敏高兴地拿起刀来刚要切下去,哥哥笑着说:"等一等,我先问你,你一刀能把西瓜切成几块?"

　　"两块。"敏敏不假思索地回答。

　　"那么两刀能把西瓜切成几块呢?"哥哥继续问。

　　敏敏想了想回答说:"如果第一刀切下去,不把西瓜分开,那么两刀可以把西瓜切成四块。"

　　"回答得好。如果在没有切完以前,仍将西瓜并在一起,那么三刀最多可将西瓜切成几块?"

　　"六块"。

　　"不对了,六块并不是最多的……"

　　"噢!想起来了。两刀切成四块后,再横过来从腰上切一刀,就成了八块。"

　　"对!那么四刀最多可切几块呢?"

　　"十二块。"

　　"又不对了,不过这个问题比较难些。我告诉你,最多可切十五块,少一点也可切成十四块。"

　　小朋友,你想想怎样把一个西瓜用四刀切成十四块或十五块?

拍脑袋指点：四刀切 14 块的切法：开始三刀两两相交得 7 块，再横切一刀就得 14 块。

四刀切 15 块的切法：先用三刀将西瓜切成 8 块，靠近西瓜心的位置再斜切一刀。在 8 块中，这一刀可以切到 7 块。这样就成了 15 块。

小朋友，用家里的西瓜按方法试试看。

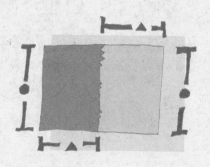

57. 有几种分法？

四年级同学在课余时间研究一道有趣的数学题,他们争先恐后地谈自己的想法。气氛好热烈! 但对此题到底有多少种分法意见不一致,让我们也参与进去吧!

题目这样的:

把一个长方形用一条线段平均分成两份,有几种分法?

我们不妨把想到的方法动手画一画。

在长方形两条宽边的中间画一条线段(如图 1);

在长方形两条长边的中间画一条线段(如图 2);

图1   图2

把相对的两个角的顶点连成一条线段(如图 3、图 4)

还可以像图 5、图 6 那样,也能平均分成 2 份。

是不是只有这六种分法呢? 不,还有多种分法,同学们,你不妨去试一试。

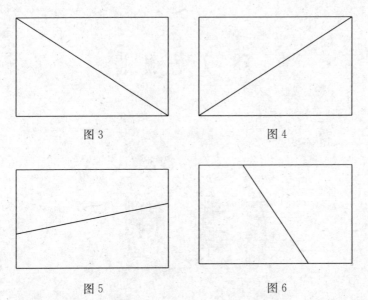

图 3　　　　　　　　　　图 4

图 5　　　　　　　　　　图 6

概括起来是这样的：长方形两条宽边中点的连线与两条长边中点的连线，或者两个相对的角的连线都相交在一点，这个点叫做交点（见图 7、图 8），凡是通过交点的线段，都能把长方形平均分成两份。

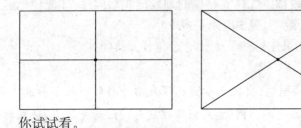

你试试看。

58. 文艺演出

兰兰、芳芳和丁丁要参加文艺演出,他们要化妆、理发等做许多准备工作。他们一起去学校附近的一家理发店理发,丁丁理发需要 3 分钟,兰兰理发需要 5 分钟,芳芳理发需要 6 分钟。而理发店里今天只有一位王理发师。怎样安排他们理发的先后顺序,才能使他们等待时间的总和最少? 最少时间是多少?

小朋友,如果你是王理发师,你会怎样安排呢?

拍脑袋指点:要使三人留在理发店等待时间的总和最少,就要尽量减少等的时间。因此,应该给理发时间短的先理发,理发时间最长的最后理发。这样王理发师应先给丁丁理发,(再分别给兰兰和芳芳理发。)再给兰兰理发,最后给芳芳理发。

59. 分 与 合

数学课上,山羊老师在黑板上画了四个图形:

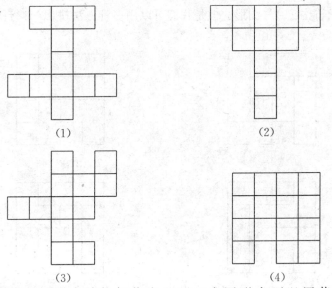

(1)   (2)

(3)   (4)

山羊老师让小动物们找出上面四个图形中可以用若干块

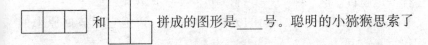

和   拼成的图形是____号。聪明的小猕猴思索了

一会儿,马上举手说:"由 [图形] 和 [图形] 拼成的图形,小方块

的总数一定是 3 的倍数,因此可排除(1)号、(2)号。对于(3)号图形,

它的下方只能用 [图形] 来拼接,它的左方只能用 [图形] 来拼

接,那么留下 [图形] 是无法用这两种小图形来拼接的,所以我

们也不能拼(3)号图形。但是我们可以用多种方法拼出(4)号图形。"
例如:

山羊老师听后,一边夸奖小猕猴肯动脑筋,一边在黑板上出了这
样一道题目:

上面的碎片是从下面的方格处取出的,请把它们放回原来的
位置。

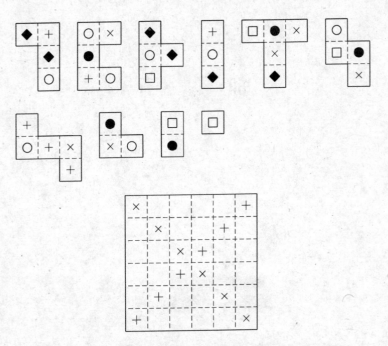

山羊老师请小朋友们也来拼一拼,看谁拼得既正确又迅速。

60. 买 布

妈妈在布料城买了 6 米白布和 8 米花布共用去 42 元钱,阿姨买了同样的白布 6 米,同样的花布 6 米,共用去 36 元钱。她们请芳芳算算每米花布和每米白布各多少钱? 芳芳想了想说:"1 米花布 3 元,1 米白布也是 3 元。"

小朋友,你知道芳芳是怎么算的吗?

🕐拍脑袋指点:根据题目的已知条件,比较一下妈妈和阿姨所买白布和花布的情况:她们所买的白布米数相等,买花布的数量,妈妈比阿姨多买了 2 米,因此妈妈比阿姨多用了 (42 − 36 =)6 元钱。可运用减法消去一个要求数(白布),先求出花布每米多少元,然后再求出白布每米多少元。

61. 倒 转 数

佳佳看见前面有一个大魔方,上面写着五个大字:"倒转数魔方"并且还有二组题目:

第一组:① $13 + 31 = (1 + 3) \times 11 = 44$

② $26 + 62 = (2 + 6) \times 11 = 88$

③ $57 + 75 = 132 = (\quad) \times 11$

④ $82 + 28 = 110 = 11 \times (\quad)$

第二组:① $234 + 432 = 666 = (2 + 4) \times 111$

② $357 + 753 = 1110 = (3 + 7) \times 111$

③ $741 + 147 = 888 = (\quad) \times 111$

④ $369 + 963 = 1332 = (3 + 9) \times (\quad)$

"噢,像 13 和 31,82 和 28,741 和 147……这样的两个数叫做互为倒转数对吗?"佳佳问博士爷爷。

"对,你看,魔方上面每道题的两个加数与它们的和有什么关系和规律呢?"博士爷爷说。

小朋友,好好看题,你能找出规律吗? 括号内应填几呢?

拍脑袋指点:从第一组的①~④可知:任何一个个位数不为

0 的两位数与它的倒转数的和是这个数数字和的 11 倍。

从第二组的①～④组成算式的各数看，它们都不是任意数字，而是相邻数字间的差是相等的。具备这种特点的数，与它的逆序数的和，等于它的百位数字与个位数字和的 111 倍。

62. 摆一摆,移一移, 变一变

　　火柴是人们日常生活中常见的东西,但利用这小小的火柴可以做许多有趣的游戏。请看小洁和小军的游戏:

　　小洁说:"你能否只移动一根火柴,使下面这个式子左右两边相等,应怎样移?"

　　小军说:"这个太简单了,我只要把右边的 6 变成 9,这个式子左右两边就相等了。"

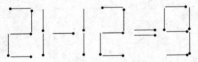

　　小洁说:"你能在下面摆的图形中移动 4 根火柴棒,使它变成只有 3 个同样大小的正方形吗?"

小军想了想说："只能移动'边上'的 4 根火柴棒,这样破坏了两个小正方形,再用移动的 4 根摆成一个小正方形,于是就只有 3 个同样大小的小正方形。"

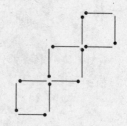

小洁说:"用 10 根火柴棒摆成了一座房子,现在你只能移动两根火柴,使房子改变方向吗?"

小军想了又想,最终没有找到解决问题的方法。小朋友,你来帮帮他好吗?

63. 猴王分桃

　　猴王孙悟空从王母娘娘的蟠桃园里偷摘了一些桃。他回到了老家花果山，准备分给他的孩儿们吃，小猴们蹦啊，跳啊。高高兴兴地来领桃。可是猴王总是分不均：如果每只小猴分到 6 只桃，则多出 8 只桃；如果每只小猴分到 8 只桃，则还差 6 只桃。小猴们纷纷把头摇。

　　小朋友，你说猴王偷摘了几只桃？它有几只小猴呢？

　　🎲 **拍脑袋指点**：由题意可知，小猴的只数和桃的只数是不变的。第一种分法多 8 只桃，第二种分法少 6 只桃，两种不同的分法结果相差 8＋6 ＝ 14 只，即第二种分法比第一种分法多 14 只桃，为什么呢？因为两种分法每只猴相差 8－6 ＝ 2（只）桃，每只猴相差 2 只桃，多少只猴相差 14 只桃呢？可求出小猴的只数，再求出桃子数。

64. 楚楚的年龄

聪明的楚楚活泼可爱，家里的爷爷、奶奶、爸爸、妈妈都很喜欢她，一天，一位远道而来的叔叔看望他们全家。楚楚主动又热情地招待了他。叔叔问她："你今年几岁?"楚楚眨了眨眼睛说："我妈妈比我大24岁，2年前，妈妈的年龄是我的4倍，请您猜猜，我今年几岁?"

叔叔想了想说："我知道了，楚楚今年10岁。"

小朋友，请你们想一想，楚楚的叔叔是怎样算出来的?

拍脑袋指点：2年前，母女的年龄差是不变的，根据年龄差与倍数，可得楚楚2年前年龄的3倍就等于母女的年龄差24岁。这样可以先求出楚楚2年前的年龄，再求出楚楚今年的年龄。

65. 九 封 信

邮递员周叔叔要送九封信,这九封信收信人的地址如下图:

邮局(图)

```
        1         3  4
          2          5

        6
      7  8          9
```

周叔叔从邮局出发,送完信后再回到邮局。

小朋友,周叔叔能不能不走重复路线而将这九封信一一送到呢?

🤔 **拍脑袋指点**:我们可以将上图简化成一笔画,也就是:一笔能不能画成一个"田"字?请用下图试一试。

为了判断这个问题,先说说"奇点"和"偶点"。从一点引出的线段条数是单数时,这点称为奇点;从一点引出的线段条数是双数时,

这点称为偶点;一个图形能否一笔画成的条件是:1.凡是只由偶点组成的图形都可以一笔画出。2.凡是只有两个奇点,而其他点都是偶点的图形也可以一笔画出。3.凡是超过两个奇点的图形,不能一笔画出。

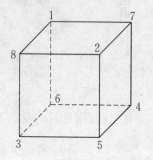

　　"田"字图形中的3、5、6、8四个点都是奇点。所以一笔画不出"田"。

66. 数学宫殿的台阶

雪梅晚上做了一个梦，她梦见自己走进一座99层的数学宫殿。这座金碧辉煌的数学宫殿每层都有99级台阶，她走啊，走啊，登上了第121级台阶。她打算登上第1000个台阶。蓦然有人推了她一把，原来是妈妈叫她起床上学。她醒来还在想：从第121级台阶到1000级台阶，还要走几层和多少个台阶？

小朋友，你帮雪梅算算。

拍脑袋指点：我们可以这样想：

先计算第121级台阶是第几层第几级台阶：

$$121 \div 99 = 1 \cdots\cdots 22$$

实际上雪梅正站在第2层第22级台阶上。

再计算第1000级台阶是第几层第几级台阶：

$$1000 \div 99 = 10 \cdots\cdots 10$$

就是第1000级台阶是第11层第10级台阶。

由此可以得出她还要走几层多少级台阶：

$$10 - 2 = 8(层)$$
$$99 - 22 + 10 = 87(级)$$

　　即雪梅还要再登 8 层 87 级台阶,也就是她站在第 2 层第 22 级台阶上,再登 77 级台阶,然后登过第 3～10 层整整 8 层,最后再登上第十一层第 10 级台阶,到达第 1000 级台阶。

67. 哪种粉笔多

　　博士爷爷带毛毛头和丁丁去参观粉笔厂。工人叔叔告诉他们：工厂新生产出了 1234×4321 支彩色粉笔和 1233×4322 支白色粉笔。那么这两种粉笔哪一种多呢？"这还用说，一样多呗！"毛毛头不假思索地就说出了答案。工人叔叔摇了摇头说："错了。"

　　小朋友，不用乘出结果来，你能说出两种粉笔哪一种多呢？

　　🧠拍脑袋指点：两道乘法算式，都有一道 1233×4321 的题目。如果把这个乘式从两道乘法算式中去掉以后，那么 1234×4321 里还剩下 1 个 4321，1233×4322 里还剩下 1 个 1233，这样就可以比出是 1234×4321 的积大。为什么呢？我们可以根据乘法分配律写出两种可对比的式子：

$$1234 \times 4321 = (1233+1) \times 4321 = 1233 \times 4321 + 4321$$
$$1233 \times 4322 = 1233 \times (4321+1) = 1233 \times 4321 + 1233$$

　　从上面的对比中，不仅可以确信 1234×4321 的积大，还可以算出大 3088 呢！

68. 左数，右数

尧尧和兰兰去参观养羊场，正碰上饲养员李叔叔牵来了一队小羊，嗬，有多少只呢！

李叔叔告诉他们，从左边数，叫"咪咪"的羊排第 16 个，从右边数叫"咪咪"的羊排第 9 个。

尧尧和兰兰非常着急地要找出"咪咪"来。

李叔叔说："现在，请你们闭上眼睛，算出这群小羊有多少只？"

"哇，怎么算呢？"兰兰还想偷偷地睁开眼睛数。

"不许偷看"李叔叔一点情面也不讲。

"我算出来了，是 25 只。"尧尧说。

"错了！"

小朋友，你可不要和尧尧犯一样的错误喽！

🌞 **拍脑袋指点：**"咪咪"排在左数第 16 个，说明它左边有 15 只小羊；右数第 9 个，说明它右边有 8 只小羊。再加上"咪咪"自己，就是这队小羊的只数。而尧尧重复加了一遍"咪咪"。

69. 间隔几只羊

饲养员李叔叔指着刚才牵来的那队羊说:"别忙,我还有问题呢?这队小羊有 24 只,'咪咪'从左边数排第 16 个,另一只羊'白白'从右数第 15 个,你们说,'咪咪'和'白白'之间间隔有几只羊呢?"

"太难"又是兰兰在吐舌头。

尧尧大声喊道:"这次我肯定算对了——5 只羊!"

"完全正确"! 李叔叔高兴地鼓起掌来。

小朋友,你知道尧尧是怎样算的吗? 你能把计算过程写出来吗?

🧠 **拍脑袋指点**:可以这么想:

从左数"咪咪"是第 16 个,从右数"白白"是第 15 个。16 ＋ 15 ＝ 31(只) 可是全部只有 24 只,说明多出了(31－24 ＝)7 只是重复计数了。即这 7 只羊被数了两次。要求"咪咪"和"白白"之间间隔有几只羊,还应该再从 7 只中将"咪咪"和"白白"减去。

小朋友,你还能想出其他的方法吗?

70. 红球和白球

在三只盒子里,一只装有 2 个红球,一只装有 2 只白球,还有一只装有红球和白球各 1 个。现在三只盒子上的标签全被毛毛头给贴错了。小朋友,你能只从一只盒子里拿出一个球来,就确定这三只盒子里各装的是什么颜色的球吗?

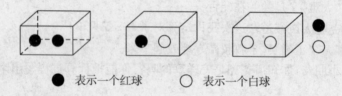

● 表示一个红球   ○ 表示一个白球

🌀 **拍脑袋指点**:从标签上看,左边盒子里是两个红球,中间盒子里是一个红球,一个白球,右边盒子里是两个白球。从盒子里拿出球的颜色只有两种可能:①拿出的是红球;②拿出的是白球。"三只盒子上的标签全贴错了"这句话很关键。

71. 各科成绩

博士爷爷给丁丁出了一道数学题:期末考试,小兰的语文成绩和自然成绩加起来是197分;语文成绩和数学成绩加起来是199分,数学成绩和自然成绩加起来是196分。请问:小兰的哪一科成绩最高?各科成绩是多少?丁丁挠挠头,不知从哪儿下手。

小朋友,你知道从哪儿下手吗?

拍脑袋指点:从已知的三个数量看,只要能求得其中任何一科的考试成绩,其余两科便可求得。

反复分析已知数量发现:三个数相加的和,恰好是三门成绩和的两倍。由此便打开突破口了:

$$
\begin{array}{r}
语 + 自 = 197 \\
语 + 数 = 199 \\
+)\quad 数 + 自 = 196 \\
\hline
(语 + 数 + 自) \times 2 = 592
\end{array}
$$

可知:语 + 数 + 自 = 592 ÷ 2 = 296

再用三科总成绩296分减去条件中二科成绩的和,就得出另外一科的成绩了。

72. 平均速度

　　一天,小狗和小猕猴进行爬山活动,他们从山的南坡上山,每小时行 6 千米,行了 2 小时到达山顶,又从山的北坡下山,每小时行 12 千米,行了 4 小时到达山脚下。

　　这时,小猕猴问小狗:"我们平均每小时行多少千米?"

　　小狗说:"上山的速度与下山的速度的和除以 2,不就是平均速度吗?"

　　"不对",小猕猴说,"总的路程除以总的时间,才是平均速度。"

　　小狗不好意思地说:"我错了。"

　　小朋友,请你帮助小狗做一做,好吗?

　　🔧 拍脑袋指点:如果你认为平均速度是 $(12+6)÷2=9$ 千米/小时,就错了。因为这样算,得到的是两种速度的平均数,而不是平均速度,求平均速度必须要用总路程除以总时间。

　　总的路程包括上山路程和下山路程。上山路程:$6×2=12$(千米),下山路程:$12×4=48$(千米)。总时间包括上山时间和下山时间:即 $2+4=6$(小时),这样就可以求出平均速度了。

73. 5 千克水

晚饭后,丁丁的爸爸在桌上摆了一大一小两个水桶。他想考考丁丁动脑动手的能力:

现在小水桶能盛水 4 千克,大水桶能盛水 11 千克,怎样使用这两个水桶,能盛出 5 千克水来。丁丁赶忙找出家里的秤,爸爸马上拦住他说:"记住,不要用秤称。"

不能用秤称,那该怎么办呢? 丁丁给难住了。

小朋友,你看,这该怎么盛呢?

🎯 **拍脑袋指点:**把小水桶内盛满水倒入大水桶内,再把小水桶盛满水倒入大水桶内;继续把小水桶盛满水倒入大水桶,大水桶已盛 8 千克,只能再倒入 3 千克,这样小水桶内便留下 1 千克水。把大水桶的水全部倒完,把小水桶内的 1 千克水倒入大水桶里,然后再把小水桶盛满水,全部倒入大水桶,这样问题就解决了。

74. 应 该 填 几

晚饭后,爸爸想考一考亮亮。便说:"小强在做计算题 (1800 —
□) ÷25 + 192 时,没有注意题里的括号,先用□里的数除以 25,然
后按加减运算的顺序来进行计算,得 1968。"爸爸让亮亮算出这道题
应该得多少。"怎么样,够难的吧!"亮亮一拍大脑门说:"嘿,有了!"

小朋友,难住你了吗? 用心想一想,亮亮用的是什么方法?

🖐 **拍脑袋指点**:要求正确结果,关键是求□的值。而小强数据
没有看错,只是运算顺序错了。因此,从条件可得 1800 — □ ÷25 +
192 = 1968,然后从错误的结果 1968 出发,一步一步地倒推回去,加
(减)法用减(加)法还原,乘(除)法用除(乘)法还原,这样可得到□
的值。

75. 全 家 福

小英拿出一张全家福给珍珍看,照片上小英和爸爸妈妈在一起好甜蜜啊! 珍珍问小英:"小英你能告诉我,你们家每人的年龄吗?"

"这好办,你听好:我爸爸比妈妈大 2 岁,今年全家年龄的总和是 84 岁,12 年前,全家的年龄总和是 50 岁,你猜猜,今年我们各多少岁吧!"小英调皮地说。

小朋友,怎么样,你也来猜猜。

🧠 **拍脑袋指点:** "几年前全家的年龄总和是 50 岁"这个条件中的"几年"与"50 岁"看上去有一个是多余的。有些同学会误认为,几年前全家的年龄总和应该是 $84 - (1 + 1 + 1) \times 12 = 48$(岁),但同题中所给的条件"50 岁"不相一致,为什么呢? 这是因为几年前小英还未出生,这相差的 2 就是几年与小英的岁数的差。求出小英的岁数 $12 - 2 = 10$(岁)之后,只要从 84 岁中去掉小英的岁数,就是父母年龄的和,结合题意便可分别求出爸爸和妈妈的年龄。

76. 过 生 日

2000 年的一天,小狗妈妈对小狗说:"今天是你过第 10 个生日,明天是你爸爸过第 9 个生日。""什么"小狗奇怪地问,"我都过第 10 个生日,爸爸怎么才过第 9 个生日?"

"是的,你爸爸真的是才过第 9 个生日。"狗妈妈认真地回答。

小狗立刻问:"妈妈,难道爸爸比我还小吗?"

"傻孩子,你爸爸怎能比你小,他比你大 26 岁! 明天确实是他的第 9 个生日。"

小朋友,你能告诉小狗这是什么原因吗? 小狗和爸爸各是哪年哪月哪日出生的?

🤔 **拍脑袋指点:** 由条件"2000 年是闰年,小狗过第 10 个生日,爸爸过第 9 个生日。"可知爸爸是在一个闰年的 2 月 29 日出生的,小狗是在一个不是闰年的 2 月 28 日出生的。

爸爸的出生年份可由 4 年一闰推出;小狗的出生年份可由岁数推出。

77. 红黄蓝白黑绿

　　博士爷爷在桌上摆了三个正方体,他说这三个正方体的六个面,都是按相同的规律涂有红黄蓝白黑绿六种颜色(如图)。请猜猜:黄色的对面是什么颜色? 白色的对面是什么颜色? 红色的对面是什么颜色? 尧尧马上凑过来,只见他沉思片刻,就说出了准确答案。

　　小朋友,难住你了吗?

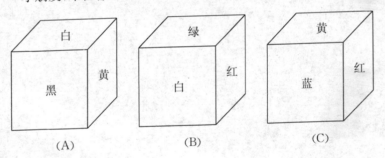

　　🧠 拍脑袋指点:如果直接思考黄色的对面是什么颜色比较困难,我们可以换一种思维方式:想想黄色的对面不是什么颜色。

　　(1) 图(A)中可以看出:黄色的对面不是白色和黑色,从图(C)中可以看出:黄色的对面不是蓝色和红色。所以,黄色的对面一定是绿色。

（2）从图(A)、(B)中可以看出：白色的对面不是黑色，黄色，红色，绿色。所以，白色的对面一定是蓝色。

（3）剩下的红色的对面一定是黑色。

78. 精打细算比贵贱

　　新学期到了,四年级张老师准备为 50 名学生买一本《自然百科丛书》,他走遍了市区三大书店了解行情,发现在三家书店书的价格都是 15 元,但优惠方式不同。华联书店:买 10 本免费赠送 1 本,不足 10 本不赠送;文峰书店:每本优惠 1 元;时代书店:购满 100 元返回现金 10 元。为了节省费用,请你帮张老师做个参谋,他应到哪家书店购买呢?

　　🧠 **拍脑袋指点**:张老师肯定应选择所需费用最少的书店去购买。那么,只要按各店的优惠方式算出各店优惠后的总价就可以解决问题。

　　华联书店:$(40 + 6) \times 15 = 690$(元)

　　文峰书店:$50 \times (15 - 1) = 700$(元)

　　时代书店:$15 \times 50 = 750$(元)

　　　　　　$750 \div 100 = 7$(个)$\cdots 50$

　　　　　　$7 \times 10 = 70$(元)

　　　　　　$750 - 70 = 680$(元)

79. 友情传递

尧尧和亮亮都喜欢收集邮票。他们俩一共有 88 枚邮票，尧尧给了亮亮一些邮票，给的枚数正好与亮亮原来的枚数相等；然后亮亮又给了尧尧一些邮票，给的枚数也正好等于尧尧现有的邮票枚数。如果最后尧尧和亮亮的邮票枚数相等，他们原来各有多少枚邮票？

小朋友，试用逆推法算算，结果很快就会出来的！

🌀 **拍脑袋指点**：用逆推法向前推。不管尧尧和亮亮之间怎样给来给去，邮票总数都是 88 枚。根据"结果两人的邮票枚数相等。"可以求出最后两人都有邮票 88÷2 ＝ 44（枚）。前一次尧尧应有 44 枚的一半即 22 枚，因为邮票总数不变，这时亮亮应有 66 枚邮票。下面请你自己试着再向前推。

80. 至少应有多少 个座位？

　　明明和爸爸每天坐同一路车去上学和上班。一天，在公共汽车上爸爸给明明出了一道有趣的数学题：大公共汽车包括起点和终点在内共有 14 个站，如果除终点外，每站上车乘客中，恰好在以后各站分别下去，要使行驶中每个乘客都有座位，车上至少应有多少个座位供乘客使用？

　　明明想了又想，没有找到解决问题的方法。小朋友，你会吗？

　　🧠 **拍脑袋指点**：要求车上至少应有多少个座位，实际就是求车上最多时有多少个人。可以用下图帮助理解：

上车的人　13　12　11　10　9　8　7　6　5　4　3　2　1

　　　　　①　②　③　④　⑤　⑥　⑦　⑧　⑨　⑩　⑪　⑫　⑬　⑭

下车的人　　　1　2　3　4　5　6　7

　　从图上可以看出，在第七站时车上的人最多。那么我们只需要求出此时的人数即可。

　　$13+12+11+10+9+8+7-1-2-3-4-5-6=49$（人）

81. 分 — 分

动手操作是四(1)班同学们最喜爱的数学活动。这不，今天的数学活动课上，王老师又给同学们带来一道操作题。同学们正讨论得热火朝天呢！亲爱的小朋友，你也试试看：

将下图分成大小、形状都相同的四块，要求每块中都带有黑白梅花各一个。

🌀 **拍脑袋指点**：从图中可知一共有 $6 \times 6 = 36$ 个小正方形，因此只要把 36 个小正方形平均分成 4 份，每份中有 9 个小正方形，并且每

9个小正方形中要有1个白梅花和1个黑梅花就可以。如图：

82. 煎 饼

妈妈让小英用平底锅给客人煎饼,这只锅每一次只能放两只饼,煎熟一只饼要用2分钟(规定正反面各需要1分钟)。为了使客人能早点吃上饼,小英煎3个饼只用了3分钟。

小英的做法是:

先将两只饼同时放入锅一起煎。一分钟后两只饼都熟了一面,这时可以将一只饼取出,另一只翻个面,再放入第三只饼,又煎了一分钟,两面都煎好的那只取出,把第三只翻个面,再将第一只放入煎,再煎一分钟就全熟了,这样煎3只饼共用了3分钟。

小朋友,下面你也来试试看:

用一只平底锅煎饼,每次只能放4个饼,煎熟一个饼要4分钟(正反两面各要2分钟),问煎6个饼至少需要多少分钟?

83. 谁的答数对

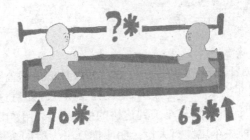

莹莹和红红准备步测操场的长度。

莹莹站在操场的东端,红红站在操场的西端。两人同时出发,相向而行。莹莹每分钟走 70 米,红红每分钟走 65 米。两人第一次相遇后继续往前走,莹莹走到西端,红红走到东端,她们马上按原路返回,从开始到第二次相遇,刚好是 2 分钟。

接着,她们就算起操场的长度来了。莹莹说操场的长是 135 米,红红说操场的长是 90 米。

小朋友,你说操场的长是多少米呢?

💡 **拍脑袋指点:**这道题关键要弄清楚莹莹和红红从出发到第二次相遇共行了 3 个操场的长,而不是 2 个操场的长。所以莹莹答错了。

84. 大桥的长度

杭州钱塘江大桥,是我国第一座自己设计的铁路公路两用桥。

一次,明明坐火车经过大桥,他问了列车长,知道这列火车全长108米。明明仔细观察从车头到达桥的桥头算起,用了9秒全部驶进大桥,130秒钟后车尾驶离大桥。明明推算出大桥的全长是1452米。

小朋友,你说明明计算的大桥长度对不对?

🐞 **拍脑袋指点**:这是一道"火车过桥"问题。画图帮助分析:

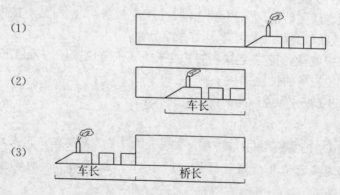

(1)

(2) 车长

(3) 车长   桥长

观察上图的(1)与(2),可以看出,火车9秒行的路程就是车长,观察(1)与(3),可以看出,火车130秒行的路程就是车长和桥长的

和。由于车长已知，因此不难求出火车的速度。用车速乘以通过大桥时所用的 130 秒，就可以求出火车的长度与桥的长度之和。再减去车长，就得到了桥长。

85. 五只猴子

有五只猴分一堆桃子,怎么也分不公平,就都去睡觉了,约好明天再分。到了半夜,有一只猴子偷偷地起来,在一堆桃子里拿出一个扔了,剩下的桃子正好可分成5等份,这只猴子拿了其中的一份藏了起来,又睡觉去了。接着,第2只猴子也起来了,也扔了一个桃子,又恰好分成5等份,也拿了其中一份藏了起来,又去睡觉了。以后另外3只猴子也一一地照样扔掉一个桃子后,还能分成5等份。原来这堆桃子至少该有多少个呢?

拍脑袋指点:我们可以这样想:

如果这堆桃子的个数可以平分5次,每次都可分成5等份,那么这堆桃子的个数至少是:$5 \times 5 \times 5 \times 5 \times 5 = 3125$(个)。

但是这堆桃子总数除以5,有余数1,必须减去1个才除以5没有余数。那么这堆桃子的个数就是 $3125 + 1 = 3126$(个)。

而5次5等份之前都减去了1个,共减去了5个。所以,这堆桃子至少有 $3126 - 5 = 3121$(个)。

86. 对　时

　　东东星期五下午参加完学校的"快乐周末"兴趣小组活动后回家,发现家里的钟才 4 点。噢! 原来是钟停了! 他连忙给钟上紧发条,转身下楼去王伯伯家对时。王伯伯告诉他准确时间是 4 点 45 分。东东赶忙回到自己的家(速度相同),发现他家的钟已走到了 4 点 06 分。东东想了想,立即把钟拨到了准确时间。

　　聪明的小朋友,你知道东东把钟拨到了几点几分吗?

　　🧠 **拍脑袋指点:** 东东到楼下王叔叔家来回共用了 6 分钟。因为他来回的速度相同,所以他从王叔叔家到自己家用了 3 分钟。(为什么?)这样就很快知道东东把钟拨到了几点几分。

　　$6 \div 2 = 3$(分钟)

　　4 点 45 分$+$3 分$=$4 点 48 分

87. 谁能得冠军

参加 100 米赛跑,只有两名运动员——小八戒和小熊猫。

小八戒面对观众,扇动着大耳朵,不时又朝主席台上的冠军奖牌望了望,似乎在说,冠军非我莫属。

小八戒的一举一动,小熊猫都看在眼里。它也暗暗下决心。

裁判员——大公鸡出场了,它笑着对两位运动员说:"复赛时,小八戒 10 分钟跑到了终点,小熊猫才跑了 90 米。这次决赛,你们双方都要加油啊!"

起跑的枪声响了,小八戒心里一急,摔了一跤,虽然腿上擦破了皮,但它仍顽强地站了起来,奋力追上去,但时间已经过了 1 分钟了。

决赛在紧张地进行着。假如它们俩的速度与复赛时一样。

小朋友,你说他俩谁能得冠军?

🌀 拍脑袋指点:从题意可知,决赛和复赛的路程和速度是一样的。在复赛中,小八戒的速度是 $100 \div 10 = 10$ 米/分,小熊猫的速度是 $90 \div 10 = 9$ 米/分;在决赛中,由于小八戒耽搁了 1 分钟,也就相当于小熊猫比小八戒先行了 1 分钟,这 1 分钟小熊猫才跑了 9 米。而在复赛中,当小八戒到达终点时,小熊猫距终点还有 ($100 - 90 =$) 10 米。所以决赛中小八戒取得了冠军。

88.运砖头

星期天,爸爸带丁丁来到砖厂参观。正巧工人叔叔们正忙着向建筑工地上运砖头。6个工人一组运砖头,做2个月的活便可得到6000元的工资。爸爸让丁丁想一想:照这样计算,24个工人做半个月总共可得多少工资呢?

小朋友,你也来算算看。

🕐 **拍脑袋指点**:这是一道归一类问题。

要求24个人半个月共得多少元,必须先求得一个人半个月能得多少元。

从"6个人,两个月得6000元"便可求得一个人半个月得多少元。因为:

① 6个人一个月得:$6000 \div 2 = 3000$(元)

② 6个人半个月得:$3000 \div 2 = 1500$(元)

③ 1个人半个月得:$1500 \div 6 = 250$(元)

从而题目可解。

89. 巧撕电影票

学校组织四年级学生观看电影《哈利·波特2》。丁丁听了后非常开心，特别想去看，并且想和他的三个好朋友坐在一起。班主任李老师说："只要你能答对下面的题目，我就满足你的要求。题目是：有6张电影票（如图），撕下相连的4张，一共有多少种不同的撕法？

1	2	3
4	5	6

聪明的丁丁，很快找到了所有的撕法，实现了自己的愿望。

小朋友，你知道丁丁是怎样想的吗？

⑤ **拍脑袋指点**：经过思考和细心分析，撕下相连的四张有以下几种形状：

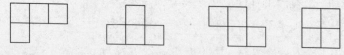

它们依次有4、2、2、2种撕法，所以一共有 $4+2+2+2=10$ 种不同的撕法。

90. 几只苹果

今天,妈妈去集市上买回一篮苹果。她分一半给王大娘。路过姥姥家,又将余下的苹果留下一半给姥姥。回到家时,将一半分给小华,余下的一半分给了丽丽。这时妈妈的篮子里只剩一只苹果了。

家里的人,谁也算不出妈妈买回了几只苹果。

小朋友,你能帮他们算算吗?

拍脑袋指点:这类问题用倒推法很容易解决。

篮子里只剩一只苹果是分一半给丽丽后余下的,没分给丽丽时,应是2只苹果。这2只苹果又是分给小华一半后余下的,可知未分给小华之前应有4只苹果……这样,一直追溯下去,便能找到答案。

画出线段图就更清楚了:

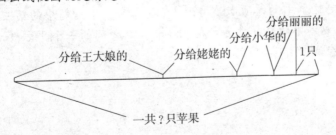

91. 缩小范围考虑问题

数学兴趣活动课上，华老师出了这样的一道题：一本书，如果每天读 50 页，8 天读不完，9 天又有余；如果每天读 60 页，7 天读不完，8 天又有余；如果每天读的页数，与读完这本书的天数相等，这本书共有多少页？

这道题有难度，同学们讨论很长时间都没有找到正确的答案，小朋友，你来帮帮他们，好吗？

 **拍脑袋指点**：根据题中的第一个条件可知这本书的总页数在 (8×50) 400 和 (9×50) 450 之间；根据题中的第二个条件可知，这本书的总页数在 (60×7) 420 和 (60×8) 480 之间；结合这两个条件，可以确定这本书的总页数在 420 和 450 之间；根据题中的第三条件。可知，这本书的总页数肯定是 420 和 450 之间的一个平方数，（为什么？）经试：$21^2 = 441$。

92. 这本书有 多少页

兰兰的父亲是印刷厂的排字工人，有一次他拿来一本书对兰兰说："为了标明书的页数，在排版的时候，需要用许多数码铅字，比如为了标明 10 页的书，就需要 11 个铅字（其中，数 10 需要两个数码铅字 1 和 0）。现在已知印这本书时一共用了 3001 个铅字，你知道这本书有多少页吗？

兰兰想了一会儿，便算出了这本书的页数。

兰兰把算的过程告诉爸爸：

因为从第 1 页到第 9 页要用 9 个铅字；从第 10 页到第 99 页要用：$(99-9) \times 2 = 180$ 个铅字；从第 100 页到第 999 页一共要用：$(999-99) \times 3 = 2700$ 个铅字；因此，从第 1 页到第 999 页一共要用：

$$9 + 180 + 2700 = 2889 \text{ 个铅字。}$$

于是，还剩下 $3001 - 2889 = 112$ 个铅字。这可以再排 $112 \div 4 = 28$（页）

因此，全书共有 $999 + 28 = 1027$ 页

小朋友，兰兰的方法你看懂了吗？下面，你也来试试：

一本书，印刷厂排出它的全部页码要用 1392 个铅字，这本书一共有多少页？

93. 为啥不能得奖

动物学校举行的"巧算比赛"开始了,主持竞赛的大象公公亮出
题板:

用简便方法计算
(1) 832 − 247 − 453
(2) (40 + 4) × 25

大象公公要金丝猴上台计算,只见金丝猴一蹦一跳地跑上赛台,
一步一步地算了起来:

$(1)\ 832 - 247 - 543$
$= 832 - (247 + 453)$
$= 832 - 700$
$= 132$

$(2)\ (40 + 4) × 25$
$= 40 × 25 + 4 × 25$
$= 1000 + 100$
$= 1100$

猪八戒一看,心里乐了:"第一题用的减法性质先把两个减数合
并起来,加上括号;第二题用的是乘法分配律,先算乘法,再算加法,
这哪里难得住俺老猪,下一题俺来试试!"

话音刚落,大象公公又亮出题板:

用简便方法计算
(1) 529 − 154 − 329
(2) (27 + 53) × 125

这回轮到猪八戒算了,他一步三摇地跑上了赛台,抓起笔就算:

(1) $529-154-329$

　　$= 529-(154+329)$

　　$= 529-483$

　　$= 46$

(2) $(27+53)\times125$

　　$= 27\times125+53\times125$

　　$= 3375+6625$

　　$= 10000$

可是,还没等八戒下台,大象公公却说:"这样计算结果虽然正确,但不能得奖。"

八戒心中很不是滋味:"我的解法与金丝猴那两道题的解法不是一样吗? 为啥我不能得奖呢?"小朋友,你能告诉八戒,为什么他不能得奖吗? 你可不能和八戒犯同样的错误。

94. 黑珠和白珠

数学课上，山羊老师给小动物们出了这样一道题：

用黑白两种颜色的珠子排成等边三角形，一层是黑色的珠子，一层是白色的珠子，一直这样排下去，直到三角形底层放 1996 个白色珠子时（如图）总共用的黑色珠子与白色珠子哪个多，多多少？

拍脑袋指点：根据图示，找出相关数据，列成下表：

底层珠子个数	1	2	3	4	5	6	……
黑珠个数	1	1	4	4	9	9	……
白珠个数	0	2	2	6	6	12	……
黑珠比白珠	多1	少1	多2	少2	多3	少3	……

观察上表，不难发现两种珠子的排列具有以下规律：随着等边三角形底层上珠子个数增多，黑珠子比白珠子依次是多1，少1，多2，少2，多3，少3……当到底层珠子个数是双数时，黑色珠子与白色珠子总数相等。

95. 铺 瓷 砖

　　山羊妈妈准备用同样大小的正方形瓷砖铺一个正方形的客厅地面。两条对角线铺黑色的瓷砖，其他地方铺白色的瓷砖（如图）她让小山羊算算，如果铺满这块地面共用了 97 块黑色的瓷砖，那么白色的瓷砖应有几块？

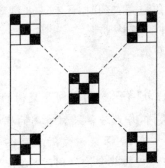

　　小山羊想了很久都没想出来，你能帮帮她的忙吗？

　　🌀 **拍脑袋指点**：根据题意可知，图中两条对角线上所铺的瓷砖都是黑色的。由于一条对角线上所贴的黑色瓷砖块数恰好对应于这个正方形一条边上瓷砖的块数，所以图中黑色瓷砖块数比正方形一条边上瓷砖块数的 2 倍少 1 块（中间 1 块黑瓷砖重复）。

96. 喷洒农药

　　星期天，兔宝宝来到兔妈妈工作的果园参观。正巧工人叔叔们在给苹果树和梨树喷洒农药。兔宝宝好奇地问兔妈妈这个果园里苹果树和梨树一共有多少棵。兔妈妈笑了笑说："果园里苹果树的棵树是梨树的3倍。工人叔叔们每天给32棵苹果树和20棵梨树喷洒农药。几天后，当给梨树喷完农药时，还有168棵苹果树没喷完。你算算果园里共有这两种树多少棵？"

　　小朋友，你也算算看。

　　🌀 **拍脑袋指点：**由"苹果树的棵树是梨树的3倍"，可以推断：要同时喷完苹果树和梨树，每天给苹果树喷药的棵树也应该是梨树的3倍，假如工人叔叔每天给20棵梨树喷洒农药，每天还给3倍的苹果树（60棵）喷药，最后两种树就会恰好同时喷完。实际上，工人叔叔每天只给20棵梨树、32棵苹果树喷药，两种情况相比，每天少喷苹果树（60－32）＝28棵。又知最后有168棵苹果树没有喷，这样可求出喷药的天数。

97.合理分组

大胖和小胖是双胞胎。一天爸爸给大胖和小胖出了一道数学题：

计算：$1996 + 1995 - 1994 - 1993 + 1992 + 1991 - 1990 - 1989 + \cdots + 8 + 7 - 6 - 5 + 4 + 3 - 2 - 1$

大胖和小胖马上算起来。没多久，大胖说："我算出来了。"小胖也急忙地抢着说："我也算出来了。"爸爸看了他们的计算，高兴地说："你们俩都算对了。"

小朋友，你知道他们是怎样算的吗？

🔧 **拍脑袋指点：**上面算式有如下排列规律：各个数从 1996 开始，依次少 1，到 1 为止，各个数前的符号是两个数一组"＋"、"－"号相同，如果按运算顺序计算是很麻烦的，从整体考虑又无从下手。不妨来个"化整为零"——把算式分成若干小组来进行计算。

98. 巧 取 银 环

　　地主贾善人雇王小二做 7 个月的长工,活计很重。狡猾的贾善人答应每月给王小二一只银环做工钱,7 个月共给 7 只银环,7 只银环是连在一起的,贾善人要王小二每月取走一只银环,但 7 只银环只准断开一只,否则一只银环也别想拿。

　　王小二为了生活,牙一咬,答应了贾善人刻薄的要求。7 个月后,王小二取走了全部银环,贾善人失算了。

　　小朋友,你知道王小二是怎样取的吗?

99. 井深和绳长

"不好啦,丁丁的帽子掉进枯井里了!"兰兰跑到博士爷爷面前说。博士爷爷找来一条长绳说:"先测量一下枯井有多深。"

绳子太长,博士爷爷把绳子三折以后放进枯井里,露在井口外面的绳长是 4 米,博士爷爷又把绳子四折以后放进枯井里,露在井口外面的绳长是 1 米。真不知道这枯井有多深? 也不知这根绳子有多长?小朋友,请你算一算,这枯井到底有多深? 这绳子有多长?

🧠 **拍脑袋指点**:把绳子三折来量,井外面每折余 4 米,所以井外共余绳 $4 \times 3 = 12$ 米;把绳子四折来量,井外面每折余 1 米,所以井外共余绳子 $1 \times 4 = 4$ 米,两者相比,前者多出 $12 - 4 = 8$ 米。为什么呢? 这是因为后者绳在井内多了 $4 - 3 = 1$ 折。所以 8 米就是井内 1 折的长,也就是井深。画出图形,就更清楚了:

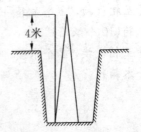

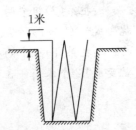

100. 纸箱和木箱

益鸣鞋店运进来 300 双球鞋,营业员阿姨们准备把它们分别装在 2 个木箱、6 个纸箱里。如果 2 个纸箱和 1 个木箱装的球鞋一样多。那么,每个木箱和每个纸箱各装多少双球鞋?

小朋友,你帮营业员阿姨们算算好吗?

拍脑袋指点:根据题中"2 个纸箱和 1 个木箱装的球鞋一样多",我们可以得到若干组相等的数量:

1 个木箱装的鞋 = 2 个纸箱装的鞋   (1)

2 个木箱装的鞋 = 4(2×2) 个纸箱装的鞋   (2)

3 个木箱装的鞋 = 6(2×3) 个纸箱装的鞋   (3)

……

我们把相等的两个量互相代换,可以得到两种方法。

方法一:把第(2)组中两个相等的量互相代换,"2 个木箱＋6 个纸箱"就变成"4(2×2) 个纸箱＋6 个纸箱(10 个纸箱)"。

方法二:把第(3)组中两个相等的量互相代换,"2 个木箱＋6 个纸箱"就变成"2 个木箱＋3 个木箱(5 个木箱)"。

101. 卖苹果

今年猴妈妈种的苹果获得了大丰收,小猴看着自己家中有一大堆大苹果,还有一小堆小苹果,心中乐开了花。

一天,猴妈妈和小猴运了 80 千克大苹果和 30 千克小苹果到集市上去卖,它们来到集市,便挂出了价格牌:大苹果 3 元 2 千克,小苹果 2 元 3 千克。

狐狸看到后,心生诡计。它趁着猴妈妈走开的时候,对小猴说:"你的大苹果 3 元 2 千克,小苹果 2 元 3 千克,合起来是 5 元 5 千克,实际上也就是 1 元 1 千克,你的苹果全卖给我吧。"小猴一听觉得很对,便将苹果全卖给了狐狸。狐狸很快付了钱,将苹果全拉走了。待猴妈妈回来一算账,小猴连呼上当。

小朋友,你知道这是怎么回事吗?

🧠 **拍脑袋指点**:事实上,大苹果 3 元 2 千克、小苹果 2 元 3 千克与大苹果小苹果合在一起卖 5 元 5 千克是不相同的。

按原来的价钱,这些苹果应卖的钱数是:

$$3 \times (80 \div 2) + 2 \times (30 \div 3) = 3 \times 40 + 20 \times 10 = 140(元)$$

而按狐狸的算法这些苹果只卖了 $80 + 30 = 110(元)$,比应卖的 140 元少了 $30(140 - 110)$ 元钱。

102. 参加联欢会

圣诞节到了,学校举办圣诞联欢会,有 50 名学生参加,第一个到会的女同学与全部男生握过手,第二个到会的女同学只差 1 个男生没有握手,第三个到会的女同学只差 2 个男生没有握手。如此下去,最后一个到会的女同学同 7 个男生握过手。小朋友,你知道这 50 名同学中有多少名男生、多少名女生吗?试试看。

🎯 **拍脑袋指点:**为了便于理解,我们可将所有的男生排成一队,第一个到会的女生和全部男同学握过手后,和第一个男同学相对应;第二个到会的女生只差 1 个男生没握手,和第二个男同学相对,以此类推,如此下去,最后一个到会的女同学和 7 个男同学握过手,她和倒数第 7 个男同学相对应,这样,就可以得到男同学比女同学多 6 个人。(为什么?)转化成和差问题,解决此题。

103. 四 人 存 款

　　毛毛头、丁丁、兰兰和佳佳四人去银行存压岁钱,在大厅里碰到了博士爷爷,博士爷爷询问每人的存款。兰兰调皮地说:"我们四人一共存款 4320 元,佳佳的存款是丁丁的 2 倍,我的存款是丁丁的 3 倍,我的存款的 4 倍才等于一个毛毛头的存款,每人各有多少存款呢?"

　　小朋友,你能理顺这么乱的关系,算出每人各有多少存款来吗?

　　🧠**拍脑袋指点**:类似这种几个相关联的倍数关系的量,只要以其中某一个量为标准,求出总份数,再与总数相比较,问题便不难解。

　　我们可以画出示意图帮助理解:

```
佳佳  ├──┼──┤
丁丁  ├──┤
兰兰  ├──┼──┼──┤                    } 4320元
毛毛头 ├──┼──┼──┼──┼──┼──┼──┼──┼──┼──┼──┼──┤
```

　　由图中可看出:把丁丁的存款看做 1 份,则佳佳就有这样的 2 份,兰兰有这样的 3 份,毛毛头有这样的 $(3 \times 4) = 12$ 份,总计共有 $1 + 2 + 3 + 12 = 18$ 份。

104. 我知道你口袋里有多少钱

李爷爷退休几年了,但他还不减当年那种教孩子们学数学的兴趣。孩子们放学后,也都喜欢跑到李爷爷家里来。

"今天我教你们做一个数学游戏好不好?""好!"孩子们齐声回答,那高兴劲儿就不用说了。

"冬冬,你自己在口袋里随便装几角几分钱吧。"李爷爷对冬冬说道。

小朋友们看到冬冬按爷爷的指令,在口袋里装了 3 角 8 分钱。(李爷爷不知道这个钱数)

"好吧,把你装的钱数以分为单位乘以 67,再把这个乘积的末两位数字告诉我。"李爷爷说。冬冬很快地用笔计算 $38 \times 67 = 2546$。

"乘积的末两位是 46。"冬冬告诉李爷爷。

"哈哈!我猜着了,你口袋里一定装的是 3 角 8 分。"李爷爷肯定地说。

李爷爷猜对了,小朋友,你知道他是怎样猜的吗?

拍脑袋指点:因为任何一个二位数乘以 201,所得的积的末两位,仍是原来的这个二位数。冬冬把自己口袋里的钱数乘以 67,李爷爷只需把他的乘积的末两位乘以 3,也就相当于把他的钱数乘以 201 而取末两位。

105. 涂 颜 色

美术课上，长颈鹿老师给小动物们出了一道跟数学有关的题目：

用四种颜色去涂正方形中编号为1、2、3、4的四个小格（如下图），使得任意两个相邻的方格颜色都不相同，问一共有多少种不同的涂法？

小朋友，你知道吗？

1	2
3	4

拍脑袋指点：将不同的涂法分成两类。

（1）2、3号方格涂相同颜色，有4种涂法。对于其中的每一种涂法，1号、4号方格都可以从剩余的3种颜色中任选一种，各有3种涂法，所有一共有 $4 \times 3 \times 3 = 36$（种）不同涂法。

（2）2、3号方格涂不同颜色。2号方格有4种涂法，对于其中的每一种涂法，3号方格都可以从剩余的3种颜色中任选一种，也就有3种涂法。同样对于2、3号方格的每一种涂法，1号、4号方格都可以从剩余的2种颜色中任选一种，所以一共有 $4 \times 3 \times 2 \times 2 = 48$（种）不同的涂法。

106. 漏掉的加号

$11+12+13$ $+16+17+18$

$+19+$ $20=$?

　　小明别的都好，就是一做起数学来丢三落四，马马虎虎。这不，小明在计算 $11+12+13+14+15+16+17+18+19+20$ 时漏写了一个加号，结果得 1442。

　　小朋友，你肯定不是个"小马虎"，请你帮小明找找漏掉的加号在哪个数前面？

　　🧠拍脑袋指点：从算式中可知，漏写其中任意一个加号，就等于把加号前面的那个数扩大了 100 倍。比如：漏写 "12＋13" 中的加号，12＋13 就变为 1213，因为 1213 ＝ 1200＋13，从 12＋13 变为 1200＋13 相当于把 12 扩大了 100 倍，就会使实际计算的结果比正确结果增加了这个数的 $(100-1)=99$ 倍。

107. 穿越沙漠（一）

一个旅游者准备穿越长为 80 千米的沙漠。他一天最多能走 20 千米，而且最多只能携带够 3 天用的食物和水。因此，他必须在途中建立一个中转站，储备补充后几天所需的食物和水。这个旅游者最少要走多少天才能穿越沙漠？

小朋友，你来算算看。

🌀 **拍脑袋指点**：我们把 80 千米长的沙漠分成相等的 4 段，每段长 20 千米（如下图），A 点为起点，E 点为终点。

```
A          B          C          D          E
|----------|----------|----------|----------|
```

因为这个旅游者最多只能携带够 3 天用的食物和水，所以，他要穿越沙漠，得在 B 点储备 3 天的食物和水。旅游者带上 3 天的食物和水，从 A 点出发，走到 B 点时，只剩下 2 天的食物和水。这时，他把 1 天的食物和水留在 B 点，然后返回 A 点。当这个旅游者再次从 A 点带上 3 天的食物和水走到 B 点时，他仍然有 3 天的食物和水。这样，他再走 3 天就能穿越沙漠。

108. 穿越沙漠 (二)

一个旅游者穿越一片荒凉的沙漠,需要走6天。因此,他必须带足6天的食物和水。然而,他自己最多只能带走4天的食物和水。因此,需要有人送他一段路,为他运一些食物和水。如果送他的人是和他同时出发的,而且每人也只能带4天的食物和水,那么,最少要有几个人才能帮助这个旅游者穿越沙漠?

小朋友,你也来帮帮这个旅游者好吗?

🌀 **拍脑袋指点**:画出示意图帮助分析:

A点为起点,B点为终点。从A点走到C点需要2天,从C点走到B点需要4天。

旅游者到达C时必须有4天的食物和水,因此他从A走到C(2天)所用的食物和水需要由送他的人提供。显然,只有一个人送是不行的。如果有甲、乙两人送他,那么三人出发,第一天三人的食物和水由甲提供,然后甲带着剩下一天的食物和水返回A。第二天,两人的食物和水由乙来提供,然后乙带着剩下两天的食物和水返回A。后4天的路程中旅游者可食用自己带的食物和水。

109. 猜猜骰子上的点数

把 5 个骰子摞起来放在桌子上，像下图那样。5 个骰子总共有 30 个面，可是你无论从哪里看，总有 9 个面看不见。就是说，骰子与骰子的接触面和骰子与桌子接触的面，你是看不见的。

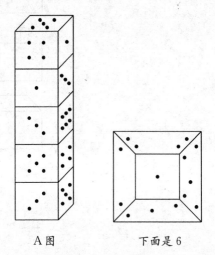

A 图   下面是 6

小朋友，要想马上把这 9 个面上的点子总数猜出来，你说该怎么办好呢？

拍脑袋指点:把骰子6个点的面朝下,然后把它的下边稍稍放大画出来,就成图A那样子,不难发现,两个相对的面上的总数之和,必定是7。

知道这一点就简单了。从5倍的7里减去最上边的那个面的点子数,就可以马上算出那看不见的9个面上的点子总数了。

看B图,就更好明白了。

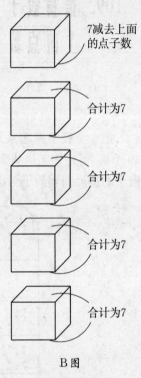

7减去上面的点子数

合计为7

合计为7

合计为7

合计为7

B图

110. 体育小健将

丁丁、佳佳和兰兰一起做仰卧起坐，2分钟内3人所做仰卧起坐的个数表给毛毛头给弄污了。（如下图）

人 名	数 量
丁 丁	98
兰 兰	
佳 佳	92
平均数	91

李老师让毛毛头根据已有的数据快速算出兰兰做了多少？
小朋友，你有比毛毛头更快速、巧妙的方法吗？

💡 **拍脑袋指点**：这道题已知三人所做仰卧起坐的平均数，又知道丁丁和佳佳所做的个数，求兰兰所做的个数。我们从两个角度思考：

思路一：三人所做的平均个数是91，乘以3就是三人所做的总个数。用总个数连续减去丁丁所做的个数、佳佳所做的个数，就是兰兰所做的个数。

思路二：丁丁所做的个数比平均个数多7(98－91)个，佳佳所做的个数比平均个数多1(92－91)个，根据"平均数"的含义，兰兰所做的个数比平均个数少8(7＋1)个。

111. 5 顶帽子

　　有 5 顶帽子,其中 3 顶白帽子,2 顶黑帽子,先给 3 个学生看一看。然后让他们闭上眼睛,替他们每人戴上 1 顶白帽子,并把 2 顶黑帽子藏起来,再让他们睁开眼睛,说出自己究竟戴的哪一种颜色帽子。3 个学生相互看了看,踌躇了一会儿,异口同声地说,自己戴的是白帽子。

　　小朋友,他们是怎样推断出来的呢?

　　🐷 **拍脑袋指点:** (1) 先退一步思考,从原来的问题里减少 1 个人和 1 顶帽子。先不考虑 3 个人 2 顶黑帽子,而只考虑 2 个人 1 顶黑帽子。这一简化就容易思考了,只有 1 顶黑帽子。如果我戴的是黑帽子,对方便立刻会说,他戴的是白帽子,现在对方没有回答,而是踌躇,可见我戴的不是黑帽子而是白帽子。

　　(2) 由此再进一步推到 3 个人,2 顶黑帽子。如果我头上戴的是黑帽子,就变成前面的"2 个人,1 顶黑帽子"的问题,这时他俩可立刻回答而不会踌躇。既然他俩踌躇,说明我头上戴的不是黑帽子,而是白帽子。

112. 三 个 孩 子

杰克在一次聚会上认识了罗宾,两人攀谈起来。

"罗宾先生,您有几个孩子?"

"我有三个孩子。"

"他们多大了?"

"他们年龄相乘的积是36。"

"他们上学了吗?"

"老大是个女孩,正在上小学,另外两个孩子是一对孪生兄弟,他们还没到上小学的年龄。"

杰克想了一会儿,算出了罗宾先生的三个孩子的年龄。

小朋友,你能算出来吗?

拍脑袋指点:根据三个孩子的年龄之积是36,可知三个自然数之积是36。又知三个孩子中有一对孪生兄弟,也就是三个自然数中有两个数相等。符合条件的三个自然数有四组:(1,1,36),(1,6,6),(2,2,9),(3,3,4)。根据三个孩子中有一个正在上小学,两个还没到上小学的年龄这个条件可知:(2,2,9)这组数符合题意。

113. 物 体 下 落

晚饭后,爷爷给兰兰出了这样的一道题:一个物体从高空落下,经过4秒落地。已知第一秒下落的距离是4.9米,以后每一秒下落的距离都比前一秒多9.8米。这个物体在下落前距离地面多少米?

小朋友,你也试一试吧!

拍脑袋指点:解这道题,关键是要弄清"以后每一秒下落的距离都比前一秒多9.8米"的含义。这个条件告诉我们,这个物体第2秒下落的距离比第1秒多9.8米,第3秒下落的距离比第2秒多9.8米,第4秒下落的距离比第3秒多9.8米。因此,我们只要分别将第2秒、第3秒和第4秒下落的距离算出来。就可求出这个物体在4秒内共下落的距离,也就是这个物体在下落前距地面的高度。

114. 合理分摊车费

阳光出租车公司规定:"桑塔纳"车行驶不超过 10 千米,每千米车费 1 元,超过 10 千米,每千米车费 1.5 元。丁丁、兰兰两人的家在车站的同一方向,丁丁家离车站 8 千米,兰兰家离车站 12 千米。有一次两人从车站合租一辆"桑塔纳"车回家,共付 13 元车费。

小朋友,请你合理地算出丁丁、兰兰两人各应付多少元车费?

拍脑袋指点: 首先要抓住题中的"合理"二字,题中所说的合理就是指丁丁、兰兰两人所付车费应与各自所乘坐的千米数一致。在此基础上再分摊车费。我们可以从以下两个角度考虑:

思路一:丁丁、兰兰两人租车回家共行 12 千米,其中的 8 千米为丁丁、兰兰两人共乘,这段路的车费应由两人平分,另外 4 千米则应由兰兰一人负担。

思路二:丁丁、兰兰合乘车行 8 千米,二人分摊车费,丁丁付 $1 \times 8 \div 2 = 4$(元)。又根据出租车公司规定,10 千米内每千米车费 1 元,这样可求出 10 千米内兰兰需付的车费,而超过 10 千米以外由兰兰独乘,这段路兰兰要付车费 $1.5 \times 2 = 3$(元),可求出兰兰一共要付的车费。

115. 移多补少

59. 60. 58 57
61
?

　　博士爷爷带毛毛头和丁丁到农村参观良种水稻。他们在一块水稻良种地里选出5个稻穗,数得每个稻穗的稻谷粒数分别是:59粒、58粒、60粒、57粒、61粒。博士爷爷让毛毛头他们仔细想一想,平均每个稻穗有稻谷多少粒? 有没有巧妙地解答方法呢?

　　小朋友,你想出来了吗?

　　😊拍脑袋指点:通常解法是用5个稻穗的总粒数除以5,算式为:(59＋58＋60＋57＋61)÷5＝59(粒)。但根据题中五个稻穗的稻谷粒数特点,我们可以运用"移多补少"的方法,直接得出答案。首先从60粒拿出1粒补给58粒,再从61粒里拿出2粒给57粒补上,这样使5个稻穗的稻谷粒数完全相等。

116. 分 配 钥 匙

　　西南公司财务室有三个工作人员，有三个保险柜，每个保险柜有两把钥匙。怎么样来处理这 6 把钥匙，才能使三个工作人员中的任何一个都能单独打开三个保险柜中的任何一个？

　　小朋友，你看，这该怎么分配呢？

　　🧠拍脑袋指点：我们可以给三个保险柜依次编号为 1 号、2 号、3 号。三个工作人员各拿其中一个保险柜的一把钥匙。然后在 1 号保险柜中放一把 2 号保险柜的钥匙，在 2 号保险柜中放一把 3 号柜的钥匙，在 3 号保险柜中放一把 1 号保险柜的钥匙。

　　这样，每一位工作人员都能在其他两人不在场的情况下，打开三个保险柜。

117. 贺信中的数字

　　从公元 1 年开始,数学老人每年总是给自己最好的朋友送贺信,他在过去的许多年里,这些朋友不止一次地改变过,但贺信的内容却几乎保持不变,他写得很简单:"恭贺新春 1"、"恭贺新春 2"、"恭贺新春 3"、……、"恭贺新春 1998"、"恭贺新春 1999"。从公元 1 年到 1999 年,数学老人什么数字用得最少? 什么数字用得最多?

　　小朋友,你是怎么判断的呢? 可不能一个一个地慢慢数啊!

　　🌀 拍脑袋指点:从公元 1 年到 1999 年,除了数字 0 外,其他 9 个数字使用的次数都是一样的。同样,如果数学老人写下 000、001、002…、998、999,那么这一列数中各个数字使用的次数也是一样的。所以在 1000、1001、1002、……,1999 中,数字 1 比其他 9 个数字使用的次数多了 1000 次,其他 9 个数字使用的次数相同。

118. 分 雪 碧

博士爷爷在餐桌上摆了 7 个满杯的雪碧,7 个半杯的雪碧和 7 个空杯。

现在要把这些杯子和雪碧平均分给丁丁、兰兰和佳佳,使得他们每个人都能有 7 只杯子和 3 杯半的雪碧。

丁丁拿起满杯的雪碧就要往空杯里倒,博士爷爷马上拦住他说:"记住,不许往杯里倒雪碧。"

小朋友,你看,这该怎么分呢?

🔢 拍脑袋指点:按照博士爷爷的要求,每人应该分到 $21 \div 3 = 7$(只) 杯子。三人每人都先拿一只装满雪碧的杯子、一只装了半杯雪碧的杯子、一只没有雪碧的杯子。这样满杯、空杯、半杯各剩下 4 只,其中一人拿 4 只装了一半雪碧的杯子,剩下的其余两人平均分。

小朋友,想一想还可以怎样分呢?

119. 聪明的小明

　　小明的爸爸今年 40 岁,爸爸问小明:"现在我的年龄是你的 4 倍,你几岁时我的年龄是你的 3 倍?"小明想了想就在草稿纸上很快地算出了。爸爸一看,高兴地说:"你数学学得不错!"

　　小朋友,你们会算吗?

　　🌀**拍脑袋指点**:随着小明年龄增大,爸爸的年龄数是小明年龄数的几倍数就减少,根据题目,爸爸的年龄现在是小明的 4 倍,问小明几岁时爸爸的年龄是小明的 3 倍? 一定是几年后爸爸的年龄才可能是小明的 3 倍,而不可能是几年前。

　　根据爸爸和小明的年龄差不变,我们可以得到这样的等量关系:父子的年龄差 = 小明几岁时的年龄的 2(3－1) 倍。

120. △和□各是多少

数学活动课上,孙老师给兴趣小组的同学们出了这样的一道题:

△和□分别代表被除数和除数,请你们根据下面的两个算式,求出△和□各是多少?

$$△ ÷ □ = 12……15$$

$$△ + □ = 353$$

小朋友,你也来试试看。

拍脑袋指点:从第一式可以知道,被除数△如果减去15就正好是除数□的12倍。把第二式中的△也去15后与□相加,它们的和也应少15,即为:$353 - 15 = 338$。如果用○表示△减少15后所得到的新数,那么原来两个算式就可表示为:

$$○ ÷ □ = 12$$

$$○ + □ = 338$$

因为○是□的12倍,为什么? 那么,○与□的和就应是□的$(12 + 1)13$倍。即338是□的13倍。于是可求得□的值。

121. 买 钢 笔

"六一"儿童节,王老师到文具商店买钢笔,送给同学们。买两种钢笔一共 210 支,其中甲种钢笔每支 4 元,乙种钢笔每支 3 元。并且王老师买这两种钢笔所用的钱数相等。

小朋友,你能说出王老师买了多少支甲种钢笔吗?

🌀 **拍脑袋指点:** 由"买这两种钢笔用去的钱数相等",我们可以假设:王老师先用 12 元买到甲种钢笔

$$12 \div 4 = 3(支)$$

再用同样多的钱(12 元)买到乙种钢笔

$$12 \div 3 = 4(支)$$

甲种钢笔和乙种钢笔共有 3＋4 = 7(支)。

下面我们把 210 支笔按"每组 7 支"分组,并使每组中都有甲种钢笔 3 支,乙种钢笔 4 支。那么 210 支笔共可分为 210÷(3＋4) = 30(组),由于每组中甲种钢笔和乙种钢笔的钱数相等。所以 30 组中两种钢笔的钱数也相等。

122. 哪一组获胜

景山煤矿厂开展劳动竞赛,甲采掘小组向乙采掘小组提出了挑战。

甲组保证 1 月份采煤 2000 吨,以后每月增产 400 吨!乙组奋起应战:保证 1 月份上半月采煤 1000 吨,以后每半月增产 100 吨。

请问,按他们的计划,到年底哪一组会获胜?

有的小朋友会说:"肯定甲组胜,因为甲组每月增产 400 吨,而乙组每半月增产 100 吨,合每月才增产 200 吨。"

先别忙着下结论,请你认真推算后再回答。

🧠 **拍脑袋指点**:画出线段图,帮助分析数量关系:

甲组	0	1	2	3	11	12
	0	2000	2400	2800		6400

乙组	0	1	2	3	11	12
	0 1000	1200	1400			3200
	1100	1300	1500			3300
	+1000	+1200	+1400			+3200

从图上对比看出:

1 月份甲组共采煤 2000 吨,乙组共采煤 2100 吨。

2 月份甲组共采煤 2400 吨, 乙组共采煤 2500 吨。

3 月份甲组共采煤 2800 吨, 乙组共采煤 2900 吨。

不难发现：每个月中，乙组总比甲组多采煤 100 吨, 所以乙组会获胜,并且知道,这一年中,乙组一共比甲组多采 (100 × 12)1200 吨煤。

123. 数 学 竞 赛

四(2)班数学兴趣小组有 6 位同学。在一次数学竞赛中,其中的 5 位同学的成绩分别为 86 分、75 分、89 分、94 分、98 分。第 6 位同学的成绩比这个兴趣小组的 6 位同学的平均成绩多 4 分。那么,第 6 位同学的成绩是多少呢?

小朋友,你说第 6 位同学的成绩是多少呢?

🌀拍脑袋指点:第 6 位同学的成绩比这个兴趣小组的 6 位同学的平均分多 4 分,那么第 6 位同学成绩的 6 倍就比这个兴趣小组 6 个同学成绩的和多 (4×6)24 分。也就是第 6 位同学成绩的 5 倍比这个兴趣小组其他 5 个同学的成绩的总和多 24 分。由题目条件知,其他同学的成绩分别是 86、75、89、94、98 分。这样可求出第 6 位同学的成绩。

124. 挥毫做画

　　丁丁是个小书画爱好者。他成为学校美术俱乐部的会员后,老师让他按书上的编号完成38张作品的临摹,要求他每天按编号的顺序至少临摹一张,而且每天临摹的张数不能一样多。要知道,当小会员可不那么简单呢! 小博士老师让丁丁算算,要完成这批作业,最多需要多少天?

　　小朋友,你一定要仔细分析已知条件。

　　🙂拍脑袋指点:已知丁丁按1—38编号画,而且每天画的张数不一样多,则:1＋2＋3＋4＋5＋6＋7＋8＝36(张),即共画了36张,还差2张没画。要是将没画的2张加在画了的第1、第2……第6张的那几天之中,或再多画几天,这样会出现有些天画的张数一样多了。所以,这2张只能加在第7天或第8天里面完成。

125. 拼 跑 道

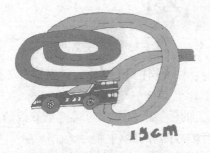

15cm

　　体育王老师拿来了一堆拼插轨道片,为过几天的四轮驱赛车比赛做准备。一会儿功夫,丁丁和佳佳就把一条漂亮的轨道装好了。他们一共用了 15 片长度为 40 厘米和 80 厘米的轨道片,组装的轨道长 10 米。那么王老师一共拿了两种尺寸的轨道片各多少呢?

　　小朋友,你也是个"小赛手"吧!那你一定能很快说出答案的,对吗?

　　🧠拍脑袋指点:用假设法。假设都用 40 厘米的轨道片,可用 $10 \times 100 \div 40 = 25$(片)轨道片,比实际所用片数多 $25 - 15 = 10$(片)。由于 80 厘米轨道片正好是 40 厘米轨道片的 2 倍,那么把其中 10 片用 80 厘米的轨道片,则正好用了 15 片。下面就请你来解答吧!

126. 一 试 身 手

博士爷爷带兰兰和佳佳到语音室。语音室有 2 排椅子,每排有 6 把椅子,每把椅子背上都挂一个耳机,并贴有标签。不过,每排椅子中都有三个耳机上的标签上没有编号。博士爷爷请兰兰和佳佳每人负责一排,把没有编号的耳机填上编号。

小朋友,请记住,要仔细观察每排数的排列规律,可不能随意乱编啊!

第一排　30、60、120、(　)、(　)、(　)
第二排　9375、1875、375、(　)、(　)、(　)

🧠 拍脑袋指点:数列的排列规律,通常有以下两种方法:

第一,后面每一个数是否都等于它前面一个数加(或减)同一个数?

第二,后面每一个数是否都等于它前面一个数乘(或除)以同一个数?

很明显,这两列数都不符合第一条规律。从第二条规律思考,不难发现第一排数中,从第二个数开始,每一个数都等于它前面一个数乘以 2。第二排数中,从第二个数开始,每一个数都等于它前一个数除以 5。

127. 对闹表，
调时间

毛毛头、丁丁、李老师三人来到时间走廊。哇！走廊两旁挂着那么多闹表。丁丁指着其中一只黑色闹表说："你们看，这只表比旁边的表一小时慢了 20 秒钟！"李老师上前把黑色闹表按旁边走时准确的标准表调准，这时正好是上午 10 点。李老师请他们俩回答，再过多少天，那只黑色闹表和旁边的标准表又同时指向上午 10 点。小朋友，别灰心，你一定能答对的！

🔄 **拍脑袋指点**：每经过一天（24 小时），表盘上的时针转 2 圈，分针转 24 圈。经过 $3600 \times 24 = 86400$（秒），表盘上的时针和分针又指向原来的时刻了。黑色闹表一天（24 小时）要慢 $20 \times 24 = 480$（秒），若要黑色闹表与标准表同时指向同一时刻，则黑色闹表要比标准表慢 86400 秒。

128. 怎样数线段和角

晚饭后,山羊爸爸给上四年级的小山羊出了这样的两道题:
数一数、算一算,下图中有多少条线段。

数一数、算一算,下图中共有多少个角。

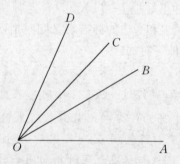

小山羊数了很久也没数清楚,你能帮帮她的忙吗?

拍脑袋指点:

线段左端点	A	B	C	D	合计
线段条数	4	3			

我们从以上这个表格可以得到启发,数线段的条数,可以从左向右数。

先以 A 为线段的左端点,共有线段四条:AB、AC、AD、AE;

再以 B 为线段的左端点,共有线段三条:BC、BD、BE;

再以 C 为线段的左端点,共有线段两条:CD、CE;

最后以 D 为线段的左端点,只有线段 DE。

用同样的方法可以数角的个数:

以 OA 为始边,共有三个角:∠AOB、∠AOC、∠AOD

以 OB 为始边,共有两个角:∠BOC、∠BOD

以 OC 为始边,只有一个角:∠COD

129. 报　　数

　　体育课上,50名学生面向老师站成一行,按老师口令从左至右的顺序报数:1、2、3、……50。报完后,老师让所报的数是4的倍数的同学向后转,接着又让所报的数是6的倍数的同学向后转。现在仍然面向老师的学生有多少名?

　　小朋友,请你盖上提示,先自己动脑想一想。

　　✪ 拍脑袋指点:求仍然面向老师的学生有多少人,应从50人中减去第一次向后转的,再减去第二次向后转的,最后把减去的(报12的倍数的学生)加上。列式为:$50 - \left[\dfrac{50}{4}\right] - \left[\dfrac{50}{6}\right] + \left[\dfrac{50}{12}\right]$。这里的方括号表示对括号内的分数取整数部分。因此上式的结果为 $50 - 12 - 8 + 4 = 34$(人)。

　　但是,"34"人还不是这题的答案,因为报12倍数的学生经过"两次连续向后转",又面向老师了,它不该从50中减去! 我们减了两次,但只补了一次,应当再补一次才行。

130. 赛拉付了多少澳元

数学课上，老师给同学们出了这样的一道国外趣题：

布瑞斯买了 3 只小驼鸟，7 只小考拉和 1 只小袋鼠；戴仁买了 4 只小驼鸟，10 只小考拉和 1 只小袋鼠；赛拉买了 1 只小驼鸟，1 只小考拉和 1 只小袋鼠。布瑞斯付了 3150 澳元，戴仁付了 4200 澳元。赛拉付了多少澳元？

小朋友，你也来试试看。

🌀 **拍脑袋指点**：我们可以这样思考，把布瑞斯买的只数和付的钱数各扩大 3 倍，把戴仁买的只数和付的钱数都扩大 2 倍，得到布瑞斯：9 只小驼鸟，21 只小考拉，3 只小袋鼠；戴仁：8 只小驼鸟，20 只小考拉，2 只小袋鼠。两项一减便得出赛拉付的钱数。

131. 黑块与白块

一次，毛毛头拿来一个足球，要丁丁数数看，上面有多少黑块，多少白块。丁丁试着数了一下，由于球面上黑白相间，数起来不是遗漏，就是重复。丁丁研究了这些黑白块的分布情况，发现黑块比白块少，便让毛毛头用两只手捏住 6 个小黑块，丁丁站在毛毛头的对面，数数剩下来的黑块，还有 6 块，所以黑块共有 12 块。白块比黑块多，更不容易数清。该怎么办呢？

小朋友，有没有更巧妙的方法呢？

🌀 **拍脑袋指点**：黑块是五边形，白块是六边形。每块黑皮的五条边分别与五块白皮的一条边黏合在一起，而每块白皮的三条边分别和三块黑皮黏合在一起。

因为足球表面是封闭的，12 块黑皮与若干块白皮紧密相连，所以白皮、黑皮的边数都不会有剩余或缺少。

假设白皮有 x 块，那么白皮共有 $6x$ 条边。这 $6x$ 条边里，一部分边是白皮与白皮交接，另一部分是白皮与黑皮交接。与黑皮黏合在一起的有 $3x$ 条边。

已经数出黑皮有 12 块，每块黑皮有 5 条边，所以黑皮共有 $5 \times 12 = 60$(条)。

这 60 条边必须与 $3x$ 条白边黏合在一起。由此得到：

$$60 = 3x, \ x = 20$$

也就是说,足球表面共有黑皮 12 块,白皮 20 块。

参考答案

1. "猴哥哥"出题 答案:100000;999999;19999;901;87410;10478;50505。

2. 排名次 答案:四人的名次为:3 号第一名,1 号第二名

　　　　　　　　　　　　　4 号第三名,2 号第四名

3. 电话号码 答案:李明家的电话号码是:555321。

4. "资格"考试 答案:蕾蕾有资格参观"海底世界"。

因为她答错了:

$$(8 \times 20 - 134) \div (8 + 5)$$

$$= (160 - 134) \div 13$$

$$= 26 \div 13$$

$$= 2(道)$$

没有超过 3 道题。

5. 养兔 答案:

$$150 - 120 = 30(只)\cdots\cdots 丁组的兔数$$

$$150 - 95 = 55(只)\cdots\cdots 甲组的兔数$$

$$150 - 100 = 50(只)\cdots\cdots 乙组的兔数$$

$$150 - (30 + 55 + 50)$$

$$= 150 - 135 = 15(只)\cdots\cdots 丙组的兔数$$

6. 豆豆打工

答案:24 ÷ 6 = 4(段)······ 每根长木料要锯成的段数

4 − 1 = 3(次)······ 锯成 4 段要锯的次数

3 × 6 = 18(次)······ 6 根长木料锯成 24 段要锯的次数

2 × 18 = 36(元)······ 黑熊应付给豆豆的工资

48 − 36 = 12(元)······ 豆豆应退给黑熊的钱

7. 楼梯台阶　答案:小白兔答得对。

80 ÷ (5 − 1) = 20(级)······ 每层台阶级数

20 × (4 − 1) = 60(级)······ 小亮每天回家要走的台阶级数

8. 孤岛脱险　答案:脱险方案:

a. 体重 50 千克和 40 千克的两个人同时驾船回陆地。

b. 体重 50 千克或 40 千克的一个人驾船返回孤岛,另一个人留在陆地。

c. 体重 60 千克的人独自驾船回陆地。

d. 体重 40 千克或 50 千克的一个人返回孤岛。

e. 体重 50 千克和 40 千克的两个人共同驾船回陆地。

9. 吃糖　答案:0.96 元······水果糖每包的价钱

0.96 + 0.45 = 1.41(元)······芝麻糖每包的价钱

3.60 − (0.96 + 1.41) = 1.23(元)······花生糖每包的价钱

10. 小猴植树　答案:

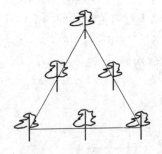 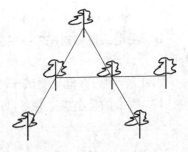

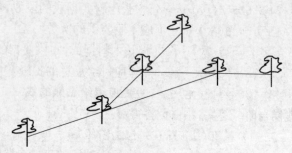

11. 游苏州乐园 答案：$75 + 83 - 100 = 158 - 100 = 58$(人)

12. 第 20 个是"谁"呢? 答案：第①组的第 20 个图形是 △。

第②组的第 20 个图形是 △。

第③组的第 20 个图形是 △。

13. 数手指 答案：$1981 \div 8 = 247 \cdots\cdots 5$

余数是 5，因此 1981 应数到小指上。

14. 和尚分馒头

答案：$100 \div (3 + 1) = 25$(人) $\cdots\cdots$ 大和尚的人数

$100 - 25 = 75$(人) $\cdots\cdots$ 小和尚的人数

15. 植物娃娃

答案：$12 + 14 + 13 + 17 + 22 + 8 = 86$(个) $\cdots\cdots$ 原来两箱植物娃娃的个数和

$86 \div (6 - 4) = 43$(个) $\cdots\cdots$ 原来每箱植物娃娃的个数

16. 毛毛头说得对吗? 答案：$9 + 8 + 7 + 6 + 5 + 4 + 3 + 2 + 1$

$= 45$(次)

因此最不凑巧，也只要试 45 次。

17. 粗心的马小虎 答案：$173 - 137 = 36$

$36 \div 3 = 12$

$137 \div 12 = 11 \cdots\cdots 5$

$$173 \div 12 = 14 \cdots\cdots 5$$

所以除数是 12,余数是 5。

18. 小狗和小猫 答案:猫跳得快,猫先到终点。

19. 2 分和 5 分

答案:$2 \times 30 = 60$(分) $\cdots\cdots$ 假如硬币全是 2 分币,共值多少钱?

$\quad 99 - 60 = 39$(分)$\cdots\cdots$ 比实际少了多少分?

$\quad 5 - 2 = 3$(分) $\quad\cdots\cdots$ 把一枚 5 分看做 2 分币少算多少分。

$\quad 39 \div 3 = 13$(枚)$\cdots\cdots$ 5 分币的枚数。

$\quad 30 - 13 = 17$(枚)$\cdots\cdots$ 2 分币的枚数。

或者:

$\quad 5 \times 30 = 150$(分) $\cdots\cdots$ 假如硬币全是 5 分币,共值多少钱。

$\quad 150 - 99 = 51$(分)$\cdots\cdots$ 比实际多了多少分。

$\quad 5 - 2 = 3$(分) $\quad\cdots\cdots$ 把一枚 2 分币看做 5 分币多算多少分。

$\quad 51 \div 3 = 17$(枚) $\cdots\cdots$ 2 分币的枚数。

$\quad 30 - 17 = 13$(枚)$\cdots\cdots$ 5 分币的枚数。

20. 荔枝和桂圆

答案:$5 \times (8 \div 2) = 20$(千克)

$\quad 20 + 6 = 26$(千克)

$\quad 312 \div 26 = 12$(元)$\cdots\cdots$ 每千克荔枝的价钱。

$\quad 12 \times 5 \div 2 = 30$(元)$\cdots\cdots$ 每千克桂圆的价钱。

21. 她们各姓什么 答案:穿白裙子的姑娘姓王。

$\quad\quad\quad\quad\quad\quad\quad\quad\quad\quad$ 穿花裙子的姑娘姓刘。

$\quad\quad\quad\quad\quad\quad\quad\quad\quad\quad$ 穿红裙子的姑娘姓李。

22. 爷爷儿子孙子各几岁

答案:$100 \div (1 + 12 + 7)$

$\quad\quad = 100 \div 20$

$\quad\quad = 5$(岁) $\quad\quad\cdots\cdots$ 孙子的年龄

$5 \times 7 = 35$（岁） ……儿子的年龄

$5 \times 12 = 60$（岁） ……爷爷的年龄

23. 赶鸭子

答案：$(100-1) \div (1+2+4+4)$

$\qquad = 99 \div 11 = 9$（只） ……小刚家鸭子数的一半的一半

$\qquad 9 \times 4 = 36$（只） ……小刚家的鸭子数

24. 对号入座 答案：第一层楼房代表 362。

$\qquad\qquad\qquad\qquad$ 第二层楼房代表 791。

$\qquad\qquad\qquad\qquad$ 第三层楼房代表 612。

$\qquad\qquad\qquad\qquad$ 第四层楼房代表 275。

25. 加减乘除还是 7

答案：$7 \times 7 = 49$……没除之前的结果

$\qquad 49 \div 7 = 7$……没乘之前的结果

$\qquad 7 + 7 = 14$……没减之前的结果

$\qquad 14 - 7 = 7$……没加之前的结果（即这个数）

26. 古老的钟楼 答案：要确定是 3 点钟，至少需要经过：

$\qquad\qquad\qquad\qquad 5 \times 3 + 10 \times (3-1) + 10$

$\qquad\qquad\qquad\qquad = 15 + 20 + 10$

$\qquad\qquad\qquad\qquad = 45$（秒）

27. 门牌号码 答案：整条巷有 15 家，强强家是 10 号。

28. 算式谜

29. 四公司购车

答案：丙多得了 2 辆车，应付给丁 $8 \times 2 = 16$ 万元。

30. 雨花石

答案：$(15 \times 2 + 15 \times 2) \div (2-1) = 60$（块） ……明明现有石

$\qquad\qquad\qquad\qquad\qquad\qquad\qquad\qquad\qquad\qquad$ 块数

$\qquad 60 + 15 = 75$（块） $\qquad\qquad\qquad\qquad\qquad$ ……明明原来石

$\qquad\qquad\qquad\qquad\qquad\qquad\qquad\qquad\qquad\qquad$ 块数

$$75 + 15 \times 2 = 105(块) \quad \cdots\cdots 航航原有石$$
块数

31. 谁留下了   答案:$(78 - 8) \div 2 = 35(根)$ ……弟弟摘的

$78 - 35 = 43(根)$ ……哥哥摘的

或者:$(78 + 8) \div 2 = 43(根)$ ……哥哥摘的

$78 - 43 = 35(棵)$ ……弟弟摘的

32. 插彩旗   答案:

$$(100 \div 5 + 1) \times 2$$
$$= (20 + 1) \times 2$$
$$= 21 \times 2$$
$$= 42(面)$$

解答这道题要抓住:

1. 从街的一端插起,每隔 5 米插一面,即属于两端都插的情况,面数 = 段数 + 1

2. 在街道两旁插彩旗,必须用一旁插旗的面数乘以 2。

33. 选足球队长

答案:$41 - (11 + 4 + 2 + 8) = 16(张)$

$(16 - 2) \div 2 = 7(票)$

34. 1999 年元旦   答案:$365 \div 7 = 52 \cdots\cdots 1$

1999 年元旦是星期五。

35. 送球拍

答案:$40 \times 5 = 200(米)$ ……爸爸要追及的距离

$60 - 40 = 20(米)$ ……爸爸和丁丁的速度差

$200 \div 20 = 10(分)$ ……爸爸追上丁丁的时间

36. 占领阵地   答案:

37. 喝可口可乐   答案:1997 是单数,因此,翻动 1997 次,反面朝上。

38. 饭前趣味题

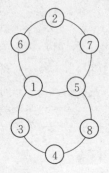

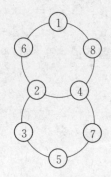

39. 到小鹿家去

答案：12－8＝4（千米）…… 小马比小羊每小时多行的路程

8÷4＝2（小时）…… 要多跑8千米所需要的时间（即小羊和小马各自从家到小鹿家用的时间。）

40. 填图游戏 答案：图(1)   图(2)

41. 可爱的小花狗

答案：1000÷（80＋120）＝5（分钟）…… 大毛和二毛相遇时间（狗奔跑的时间）

500×5＝2500（米） …… 狗所走的路程

42. 鸡兔同笼 答案：龟有75只，鹤有25只。

43. 组气球拼数字 答案：7排在百位上有6种情况，4排在百位上有6种情况，2排在百位上有6种情况。共有3个6种情况。列成算式：

6×3＝18（种）

44. 篮球排球和足球

答案：95＋5＝100（个）

$$100 \div (1 + 2 + 2) = 100 \div 5$$
$$= 20(个) \quad \cdots\cdots 篮球的个数$$
$$20 \times 2 = 40(个) \quad \cdots\cdots 排球的个数$$
$$20 \times 2 - 5 = 35(个) \quad \cdots\cdots 足球的个数$$

45. 植树的学问 答案:如图,只要把树苗种在五角星的五个顶点和五条边的交点上,就可满足题目的要求。

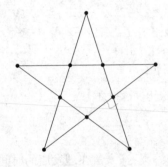

46. 先算算,再选择 答案:王老师应根据自己一个月的通话时间来选择。

47. 众猴渡河 答案:$89 \div 8 = 11(次)\cdots\cdots1$ 只

89 只猴,每次渡九只,11 次才能全部渡过河。

48. 棋艺活动 答案:$40 + 32 - (45 - 3)$
$$= 72 - 42$$
$$= 30(人)$$

49. 玩跷跷板

50. 兔子问题

51. 谁跑的路程长? (答案略)

52. 怎样围面积最大? 答案:$84 \div 2 = 42(米),42 \div 2 = 21(米),42 \times 21 = 882(平方米)$。

53. 蜗牛爬树 答案:蜗牛哥哥 $6 + 1 = 7(天)$

蜗牛弟弟　　8＋1＝9（天）

9－7＝2（天）

蜗牛哥哥获胜,它比蜗牛弟弟提前两天爬上树顶。

54. 老鹰捉小鸡

答案:127－2－3－2＝120　　……除数的 4 倍是多少。

120÷（1＋3）＝30　　……除数是多少。

30×3＋2＝92　　……被除数是多少。

55. 鲨鱼有多长

答案:3×3＝9（米）　　……鲨鱼的尾长

3＋（3＋9）＋9

＝3＋12＋9＝24（米）　　……鲨鱼的全长

56. 切西瓜

57. 有几种分法?

58. 文艺演出　答案:三人留在理发店的时间分别是:

丁丁:3 分钟

兰兰:3＋5＝8 分钟

芳芳:3＋5＋6＝14 分钟

三人留在理发店的时间总和是:

3＋8＋14＝25（分钟）

59. 分与合

60. 买布　答案:将给出的两组已知条件写成等式,应用减法消去一个要求数:

6 米白布＋8 米花布＝42 元

一) 6 米白布＋6 米花布＝36 元

────────────────

2 米花布＝6 元

6÷2＝3（元）　　……1 米花布多少元。

3×8＝24（元）　　……8 米花布多少元。

$42-24=18$(元) ……6米白布多少元。

$18÷6=3$(元) ……1米白布多少元。

61. 倒转数　答案:括号里分别应填:$5+7$、$8+2$、$7+1$、111。

62. 摆一摆,移一移,变一变　（答案略）

63. 猴王分桃

答案:$(8+6)÷(8-6)=14÷2=7$(只)……小猴的只数。

　　　$6×7+8=50$(只)

　　　或$8×7-6=50$(只)　　　　　　……桃的只数。

64. 楚楚的年龄

答案:$24÷(4-1)=8$(岁)……2年前楚楚的年龄

　　　$8+2=10$(岁)　　　……楚楚今年的年龄

65. 九封信　答案:邮递员周叔叔不走重复路线送到这九封信是不可能的。

66. 数学宫殿的台阶　（答案略）

67. 哪种粉笔多　答案:因为:$1234×4321>1233×4322$

所以:彩色粉笔比白色粉笔多。

68. 左数,右数

答案:$16-1=15$(只)　　　……咪咪左边小羊的只数。

　　　$9-1=8$(只)　　　……咪咪右边小羊的只数。

　　　$15+8+1=24$(只)　　　……这队小羊的只数。

69. 间隔几只羊

答案:$16+15-24=7$(只)　　　……重复数了两次羊的只数。

　　　$7-2=5$(只)　　　……"咪咪"和"白白"之间间隔的羊的只数。

70. 红球和白球　答案:① 如果从中间盒子里拿出一个红球,那么这只盒子里一定不是两个白球,又根据"标签全贴错了"这一句,说明盒子里边不是一只红球,一个白球,那么,中间盒子里必定是两个红球,所以右边盒子里必定是一个红球,一个白球;左边盒子里就是

两个白球了。

② 如果从中间盒子里拿出的是一个白球,用同样的推理方法,可求出中间的盒子里必定是两个白球,左边的盒子里是一个红球,一个白球,而右边的盒子里是两个红球。

71. 各科成绩

答案:$(197＋199＋196)÷2＝296(分)$ ……三科总成绩

$296－197＝99(分)$ ……数学成绩

$296－199＝97(分)$ ……自然成绩

$296－196＝100(分)$ ……语文成绩

72. 平均速度 答案:$(6×2＋12×4)÷(2＋4)$

$＝60÷6$

$＝10千米/小时$

73. 5千克水 答案:$4×3－11＋4$

$＝1＋4$

$＝5(千克)$

74. 应该填几

答案:① 求□的值

$1968－192＝1776$ $1800－1776＝24$

$24×25＝600$

② 求正确的结果

$(1800－600)÷25＋192$

$＝1200÷25＋192$

$＝48＋192$

$＝240$

75. 全家福 答案:$84－(1＋1＋1)×12＝48(岁)$

$50－48＝2(岁)$

$12－2＝10(岁)$ ……小英的年龄

$$84 - 10 = 74(岁)$$
$$(74 + 2) \div 2 = 38(岁) \quad \cdots\cdots 爸爸的年龄$$
$$(72 - 2) \div 2 = 36(岁) \quad \cdots\cdots 妈妈的年龄$$

76. 过生日 答案：$4 \times 9 = 36(岁)$
$$2000 - 36 = 1964 \text{ 年}$$
$$1964 \text{ 年 } 2 \text{ 月 } 29 \text{ 日} \quad \cdots\cdots 爸爸出生的年月日$$
$$2000 - 10 = 1990 \text{ 年}$$
$$1990 \text{ 年 } 2 \text{ 月 } 28 \text{ 日} \quad \cdots\cdots 小狗出生的年月日$$

77. 红黄蓝白黑绿 答案：黄色的对面是绿色
白色的对面是蓝色
红色的对面是黑色

78. 精打细算比贵贱 答案：张老师应去时代书店购买。

79. 友情传递
答案：$(88 - 88 \div 2 \div 2) \div 2 = 33(枚) \quad \cdots\cdots 亮亮的邮票枚数$
$$88 - 33 = 55(枚) \quad \cdots\cdots 尧尧的邮票枚数$$

80. 至少应有多少个座位？ 答案：车上至少应有 49 个座位供乘客使用。

81. 分一分 （答案略）

82. 煎饼 答案：煎好 6 个饼至少需要 6 分钟

83. 谁的答数对
答案：$(70 + 65) \times 2 = 135 \times 2 = 270(米) \quad \cdots\cdots 3 个操场的长$
$$270 \div 3 = 90(米) \quad \cdots\cdots 操场的长的米数$$

84. 大桥的长度
答案：$108 \div 9 = 12 \text{ 米}/秒 \quad \cdots\cdots 火车的速度$
$$12 \times 130 = 1560(米) \quad \cdots\cdots 车长与桥长之和$$
$$1560 - 108 = 1452(米) \quad \cdots\cdots 大桥的长度$$
或：$108 \div 9 = 12 \text{ 米}/秒 \quad \cdots\cdots 火车的速度$
$$130 - 9 = 121(秒)$$

$$12 \times 121 = 1452 (\text{米}) \qquad \cdots\cdots \text{大桥的长度}$$

明明计算的大桥长度是正确的。

85. 五只猴子　答案:这堆桃子至少有:

$$5 \times 5 \times 5 \times 5 \times 5 + 1 - 5 = 3121 (\text{个})$$

86. 对时　答案:东东把钟拨到了 4 点 48 分。

87. 谁能得冠军

答案:$90 \div 10 = 9$ 米 / 分$\cdots\cdots$ 小熊猫的速度

$\qquad 9 \times 1 = 9$ 米 $\qquad \cdots\cdots$ 先行 1 分钟的路程

$\qquad 10 - 9 = 1$ 米 $\qquad \cdots\cdots$ 小八戒到终点时,小熊猫还差 1 米

88. 运砖头　答案:方法一:$6000 \div 2 \div 2 \div 6 \times 24 = 6000 (\text{元})$

方法二:用倍比法,看 24 人是 6 人的多少倍,即先求 6 个人半个月得多少钱。

$$(6000 \div 2 \div 2) \times (24 \div 6) = 1500 \times 4 = 6000 (\text{元})$$

89. 巧撕电影票　(答案略)

90. 几只苹果　答案:$1 \times 2 \times 2 \times 2 \times 2 = 16 (\text{只})$

91. 缩小范围考虑问题　答案:这本书共有 441 页。

92. 这本书有多少页　答案:这本书一共有 500 页。

93. 为啥不能得奖　(答案略)

94. 黑珠和白珠　答案:

当等边三角形底边放 1996 个白色珠子时,总共用的白色珠子与黑色珠子一样多。

95. 铺瓷砖

答案:$(97 + 1) \div 2 = 49 (\text{块})$ $\qquad \cdots\cdots$ 正方形每条边上的瓷砖块数

$\qquad 49 \times 49 = 2401 (\text{块})$ $\qquad \cdots\cdots$ 正方形中一共有瓷砖块数

$\qquad 2401 - 97 = 2304 (\text{块})$ $\qquad \cdots\cdots$ 白色瓷砖的块数

96. 喷洒农药　答案:$168 \div (20 \times 3 - 32)$

$$= 168 \div 28$$

$$= 6 (\text{天}) \qquad \cdots\cdots \text{喷药的天数}$$

$$(20 + 32) \times 6 + 168$$
$$= 312 + 168$$
$$= 480(棵) \quad \cdots\cdots 苹果树和梨树的总棵数$$

97. 合理分组 答案:方法一:从第一个数起,每 4 个数为一组,每组的和为 4,共有 $1996 \div 4 = 499$(组)。这样,结果:

$$4 \times 499 = 1996$$

方法二:从第 2 个数起,每 4 个数为一组,各组的运算结果都为 0。

$$1995 - 1994 - 1993 + 1992 = 0$$
$$1991 - 1990 - 1989 + 1988 = 0$$
$$\cdots$$
$$7 - 6 - 5 + 4 = 0$$

因此,所求算式的值就等于:

$$1996 + 3 - 2 - 1 = 1996$$

98. 巧取银环 答案:王小二是这样每月取走 1 只银环的:第 1 个月底,王小二断开一串银环中的第 3 只银环,并取走这只银环作 1 月的工钱。这样原来的一串银环变成两串,一串 2 只银环,一串 4 只银环。

第 2 个月底,王小二用 1 只银环换回连在一起的 2 只银环,等于又取走 1 只银环作为本月的工钱。

第 3 个月底,王小二又取回断开的 1 只银环。

第 4 个月底,王小二用 3 只银环换回连在一起的 4 只银环。

$\cdots\cdots$

就这样,王小二取走了自己应得的 7 只银环。

99. 井深和绳长
答案:$(4 \times 3 - 1 \times 4) \div (4 - 3) = 8$(米) $\cdots\cdots$井深

$\qquad (8 + 4) \times 3 = 36$(米) $\qquad\qquad \cdots\cdots$绳长

100. 纸箱和木箱

答案:方法一:300÷(2×2+6)

= 300÷10

= 30(双)　　　　　……每个纸箱内装的鞋

30×2 = 60(双)　　……每个木箱内装的鞋

方法二:300÷(2+6÷2)

= 300÷5

= 60(双)　　　　　……每个木箱内装的鞋

60÷2 = 30(双)　　　……每个纸箱内装的鞋

101. 卖苹果　(答案略)

102. 参加联欢会　答案:(50-6)÷2 = 22(人)　……女同学人数。

22+6 = 28(人)　……男同学人数。

103. 四人存款

答案:4320÷(1+2+3+12) = 240(元)　……丁丁的存款

2×240 = 480(元)　　　　　　……佳佳的存款

3×240 = 720(元)　　　　　　……兰兰的存款

720×4 = 2880(元)　　　　　……毛毛头的存款

104. 我知道你口袋里有多少钱　答案:这是利用了 67×3 = 201 的性质,冬冬报 46 这个数,李爷爷把 46×3 = 138,那么 38 就是冬冬口袋里装的钱数。

105. 涂颜色　答案:一共有:

4×3×3+4×3×2×2

= 36+48

= 84(种)

106. 漏掉的加号　答案:正确的结果是:

11+12+13+14+15+16+17+18+19+20

=(11+20)×10÷2

=155

实际计算的结果是1442,比正确结果多了:
$$1442-155=1287$$
加号前面的数是:
$$1287\div99=13$$
所以漏掉的是14前面的加号。

107. 穿越沙漠(一) 答案:这个旅游者穿越沙漠最少要走:
$$1+1+1+3=6(天)$$

108. 穿越沙漠(二) 答案:最少要用2个人才能帮助这个旅游者穿越沙漠。

109. 猜猜骰子上的点数 答案:$7\times5-5$
$$=35-5$$
$$=30(点)$$

110. 体育小健将 答案:方法一:

$91\times3-98-92$
$$=273-98-92$$
$$=83(个)$$

方法二:
$91-(98-91)-(92-91)$
$$=91-7-1$$
$$=83(个)$$

111. 5顶帽子 (答案略)

112. 三个孩子 答案:三个孩子的年龄分别为2岁、2岁和9岁。

113. 物体下落
答案: $4.9+9.8=14.7(米)$ ……第2秒下落的米数
$14.7+9.8=24.5(米)$ ……第3秒下落的米数
$24.5+9.8=34.3(米)$ ……第4秒下落的米数
$4.9+14.7+24.5+34.3$
$=78.4(米)$ ……物体下落前距地面的米数

114. 合理分摊车费

答案:(1) $1 \times 8 \div 2 = 4$(元)　　　　……丁丁应付的车费

　　　　　$13 - 4 = 9$(元)　　　　　　……兰兰应付的车费

　　　(2) $1 \times 8 \div 2 = 4$(元)　　　　……丁丁应付的车费

　　　　　$10 - 4 = 6$(元)

　　　　　$1.5 \times 2 + 6 = 9$(元)　　　……兰兰应付的车费

115. 移多补少　答案:平均每个稻穗有稻谷59粒。

116. 分配钥匙　(答案略)

117. 贺信中的数字　答案:数学老人使用最多的是数字1,使用最少的是数字0。

118. 分雪碧　答案:用表格表示:

第一种分法

	丁丁	兰兰	佳佳
满杯	3	3	1
半杯	1	1	5
空杯	3	3	1

第二种分法

	丁丁	兰兰	佳佳
满杯	3	2	2
半杯	1	3	3
空杯	3	2	2

119. 聪明的小明　答案:

$40 \div 4 = 10$(岁)　　　　……小明现在的年龄

$40 - 10 = 30$(岁)　　　　……爸爸与小明的年龄差

$30 \div (3 - 1) = 15$(岁)　　……爸爸的年龄是小明的3倍时的小明年龄

120. △和□各是多少　答案：$(353-15) \div (12+1)$

　　$= 338 \div 13$

　　$= 26$ 　　　　　　　　　　　　　　……□的值

$353 - 26 = 327$ 　　　　　　　　　　　……△的值

121. 买钢笔　答案：王老师买甲种钢笔：

$$3 \times 30 = 90(支)$$

122. 哪一组获胜　答案：乙组会获胜。

123. 数学竞赛　答案：

$(86+75+89+94+98+4 \times 6) \div 5$

$= 94(分)$ 　　　　　　　　　……第6位同学的成绩

124. 挥毫做画　答案：要完成这批作业,最多需要8天。

125. 拼跑道　答案：$10 \times 100 \div 40 - 15$

　　　　　　　　$= 10(片)$ 　　……80厘米长的轨道片数

　　　　　　　　$15 - 10$

　　　　　　　　$= 5(片)$ 　　……40厘米长的轨道片数

126. 一试身手　答案：

第一排数：30、60、120、(240)、(480)、(960)。

第二排数：9375、1875、375、(75)、(15)、(3)。

127. 对闹表,调时间　答案：$(60 \times 60 \times 24) \div (20 \times 24)$

　　　　　　　　　　$= 86400 \div 480$

　　　　　　　　　　$= 180(天)$

再过180天,那只黑色闹表和旁边的标准表又同时指向上午10点钟。

128. 怎样数线段和角　答案：共有线段：$4+3+2+1 = 10(条)$

　　　　　　　　　　　共有角：$3+2+1 = 6(个角)$

129. 报数　答案：

$$50 - 12 - 8 + 4 \times 2 = 38(人)$$

现在仍然面向老师的有 38 人。

130. 赛拉付了多少澳元

答案：$3150 \times 3 - 4200 \times 2$

$\qquad = 9450 - 8400$

$\qquad = 1050(元)$ ⋯⋯赛拉付的钱数

131. 黑块与白块　答案：黑皮有 12 块，白皮有 20 块。